A Girl Walks into a Blind Date

愛的69種玩法 I

邂逅

HELENA S. PAIGE
海倫娜·佩姬 著　朱立雅 譯

《愛的69種玩法》系列三部曲為互動式小說，全書不止一個結局，
讀者可以隨著情節發展，與女主角一起為接下來的浪漫約會進行選擇。
每一個選擇都會導向完全不同的故事，
讀者將發現：「選擇」帶來比閱讀小說本身更多的驚喜。

每個女人都知道，網路交友就像買樂透：妳永遠不知道會抽中什麼獎。妳終於同意與其見面喝咖啡的性愛達人可能就如他所呈現的形象，是個幽默穩重的萬人迷，但也可能是個有著一嘴口臭和三個前妻的失業會計師。

妳給自己倒杯酒，拿起筆電坐下來。妳曾淺嘗交友網站「真愛配對」的神祕滋味，結果時好時壞，一個月前妳決定再試最後一次。排除顯然盜用健美論壇上的照片和自稱「世界最佳情人」的男人後，妳剩下三個選擇。妳已經花了幾個星期和他們聊些不著邊際的事，不過到目前為止，進展還不錯。

「紐約螢火蟲」說他是紐約市的消防員，直接先加兩分。他的檔案照片很吸引人，但妳看不清楚他的臉，只看得到一個穿著制服、戴著頭盔、正在勇敢出勤的高壯猛男。他逗得妳笑了幾次，也似乎真心喜愛他的工作，但缺點是，他錯別字很多——這點妳通常無法接受。還有，他這輩子最愛的電影是《金玉盟》和《計程車司機》，這表示他私下要不是個浪漫主義者，就是個精神病患。嗯。

第二位是「卡納萊托36」，他自稱是威尼斯某位古老貴族的後代，正從「世界上最美的城市」向妳打招呼。照片裡的他皮膚黝黑，輪廓英挺，有著一頭濃密黑髮。其中一張是他靠著陽台而站，像是在威尼斯某座金碧輝煌的皇宮裡拍的。另一張背景是白雪皚皚的高山，他戴著墨鏡，穿著滑雪裝。他的信寫得幾乎像詩一樣美，他的興趣包括「歌劇、文學與極限運動」，職業是「企業家」。他在幾次愈來愈私密的對話中透露，他的真名是克勞帝歐．拉札利伯爵，妳喜歡他隱約表現出來的信任。當然，他聽起來美好得不可思議，但妳也不笨，妳在網路上做過謹慎調查，他的確像是他形容的那個人。

排在最後但同樣重要的是「荷蘭男孩」，他是來自阿姆斯特丹的雕塑家，具冒險精神，有點古怪，「波西米亞」這個字眼應該可說是為了他發明的。照片裡的帥哥有著一頭長捲髮和健美的身材，相當不賴。但他的英語需要加強，有時跟他對話，妳會覺得好像在跟Google翻譯機談戀愛。

妳登入，希望能找到一個玩伴，發現他們三個人同時捎來了訊息，妳很高興，也許今晚正是更進一步的時刻。妳想先跟誰聊天呢？

如果想和消防員進行火辣對話，請翻至第5頁。

如果想找性感的雕塑家，請翻至第10頁。

如果想和義大利貴族浪漫調情，請翻至第15頁。

妳決定和消防員來一段火辣對話

雖然覺得自己有點魯莽，妳還是問了螢火蟲是否願意更進一步，而正如妳所料，他迫不及待。

我從沒做過這種事。妳開始打字。

我也四。

這些錯字可真是煞風景，妳只能試著置之不理。

所以……我們該怎麼開始？

妳可以告訴我妳現在穿著什麼……

妳身上穿的其實是妳最愛的法蘭絨睡衣，上面有動畫影集《南方公園》的角色圖案和好久以前留下的咖啡印漬，絕非世界上最性感的打扮。該是說謊的時候了。

我也是。

嗯……我最喜歡紫色。

黑色透明的五〇年代風格睡衣，和我最愛的紫色丁字褲。喔！還有高跟鞋。

我也是？真可悲！妳一定能表現得更好一點。妳想了一下，然後打字：

這裡變得好熱，你那裡熱嗎？

熱死了。

我該如何讓自己涼爽一點？可以跟你借根水管嗎？

噢，可以的，妳隨時都可以來借，寶貝。

大根嗎？

很粗很大。如果妳很乖，我就讓妳摸我的頭盔。

消防員的雙關語對妳來說實在是小兒科。妳不認為這真的能讓妳興奮，但很好玩。

我一直想摸摸看消防員的頭盔，那是什麼感覺？
很硬，寶貝，非常硬，像我的消防隊滑杆一樣。
妳咯咯笑。嗯……我現在覺得更熱了。
也許妳需要脫件衣服。
也許吧。喔，你看，我慢慢拉下了睡衣的肩帶……
來吧，寶貝……慢一點……
它掉在地上了，我現在只穿著丁字褲和高跟鞋，接下來該怎麼辦呢？
摸妳的熊部。

妳忍不住爆笑出聲。

我的熊部？
對不起，我太興奮了！打錯字！
難免的事

是啊，還在ＬＯＬ中。

ＬＯＬ中？真是的，但妳繼續打字：

我也是！

等等，brb。

三十秒後他就回到線上。

我得走了，改天繼續？

沒問題，萬事小心

妳也是ＸＸＸ[1]。

剛才這段不怎麼情色，反倒很有趣，雖然妳希望他本人的口齒可能會比在網路上清晰一些，但至少他有幽默感，而且妳已經習慣他的錯字了。現在該做什麼呢？

想和雕塑家對話，請翻至第10頁。
想和伯爵傳訊，請翻至第15頁。
決定休息，請翻至第21頁。

1 LOL表示大笑。brb為be right back的縮寫，意為「馬上回來」。XXXX表示送吻。以上為網路慣用語。

妳決定和雕塑家對話

透過Google翻譯機在網路上調情將是個挑戰，但妳想，管他的，凡事總有第一次。

所以，阿姆斯特丹今晚如何？妳打著字。
阿姆斯特丹是個美麗的城市。
我聽說它也是個很性感的城市……
如果妳在這裡就更性感了。

這才對嘛，妳想著，開始覺得臉頰發燙。

你怎麼知道？你從沒見過我。
妳聽起來很性感。
你又沒聽過我的聲音。

我是藝術家，我不用聽就知道妳很性感，我有想像力。

是嗎？你常想著我？

是，如果要我說老實話，我昨晚幻想妳就在我身邊。

妳打著回覆，覺得有點害羞，又刪掉重打，接著按下「傳送」，免得自己又三心二意：

內容是什麼？

我想像妳在這裡，我們接吻。

真的？那我技術好嗎？

嗯，非常好，幾乎跟我的技術一樣好。

妳笑了，再也沒有比富有幽默感的男人更性感的了，即使在Google翻譯機的詭異世界裡，他也算是有趣的人。

那麼……也許你可以教教我？

嗯，他可以教妳親吻，妳可以教他英語……

我願意。

我想我更願意。

在我的幻想裡，我們結束親吻後，我把手伸進妳的內褲，用手指讓妳高潮。

妳嚥了一口口水，這可是來真的了。妳全身發熱，稍微換個坐姿，手指往下游移。

你想想力真富豐。

妳正在撫摸自己嗎？

為什麼這麼說？

英文不好的人是我，所以我想妳剛打錯字，一定是因為只用單手打字。

被抓到了，妳馬上將雙手放回鍵盤，試著思考該怎麼回應。妳滿臉通紅，半是因為尷尬，半是覺得慾火焚身。妳該怎麼回答呢？妳不想告訴他實話，他只說了幾個字就讓妳的手不安分地在內褲裡游移。他注意到妳的沉默，貼心地改變話題給妳台階下。

也許妳該來阿姆斯特丹，這樣我們就不用製造幻想了。

也許……妳說，接著又打了一次。**也許吧……**

妳的筆電發出聲響，顯示另一個網友的對話請求。

可能妳不該說也許會來，而是一定來。

絕對也許會。

妳讓他自己去想那句話的意思。

謝謝你和我聊天，性感男孩，很快再聊。xxx

妳快速登出，免得他纏著妳繼續聊。妳檢查收件匣，有封來自「伯爵」的新訊息，還有一封是「紐約螢火蟲」的訊息，妳要回覆嗎？還是妳認為今晚的火熱調情已經夠了？

想和消防員對話，請翻至第5頁。
想與伯爵傳訊，請翻至第15頁。
決定休息，請翻至第21頁。

妳決定和伯爵傳訊

妳好，美人！伯爵一如往常地打招呼，妳讓他知道自己收到訊息很開心，心想給他一個親吻眨眼的表情符號顯示自己想調情，不知這樣是否顯得低俗。

妳的思緒像是馬上透過網路傳過去了似地，他打著：

我今晚對妳有個要求。

唔，聽起來很有希望。

什麼都可以！妳回答。

我可以直說嗎？我可以想像妳的裸體嗎？

妳吞了一口口水，但妳必須承認，這個念頭很誘人，而且又能有什麼損失呢？

呃，當然，儘管想像，但我警告你，我可能也會胡思亂想喲！

妳那美麗的胸部，我相信妳的肌膚和奶油一樣柔軟滑嫩。現在，我正想像含著草莓沾取我的奶油，櫻桃，不對，葡萄！豐滿堅挺，在我舌內熟成……

妳的乳頭因為他的字句馬上起了反應，妳將一隻手伸進上衣裡，然後點選他的照片，欣賞他誘人的雙唇，他的上唇有著清楚的弓形輪廓，牙齒白得發亮。妳想像那張嘴在妳胸前裸露的肌膚游移，親吻妳的乳房，含住妳的乳尖。妳的呼吸開始變得急促，手往下移，把玩一側的乳房，用指尖輕輕揉搓著尖端。

那樣可以嗎？我沒惹妳生氣吧？我該停止嗎？

不要停！

好，所以妳喜歡？

嗯，喜歡。

妳迫不及待想知道接下來會如何進展。妳有點緊張，妳對網路性愛瞭若指掌，但從來不曾真的嘗試過。到目前為止，妳相當好奇，而且興奮難抑。

我需要再嘗點奶油。

儘管嘗。

我跟貓一樣舔著，啊，妳的味道好棒，既甜美又性感……

謝謝，你也滿性感的。

所以妳喜歡這樣？我現在很享受，我該告訴妳我更享受的是什麼嗎？

說吧！

無花果。

？？？

那是我的最愛，我正想著我有多喜歡用手指撫摸那柔嫩的果皮，將它們撕開，打開果實……

妳感到全身發燙，快感在下體悸動。妳急切地用單手回覆「哇」，隨即將筆電移到旁邊，拉下底褲。妳很快地再看一次他的檔案照，這次妳想像他的嘴往妳身下游移，想到那豐厚的嘴唇攻占妳的火熱小丘，妳發出低吟，調整身後的靠枕，張開雙膝。同時，克勞帝歐仍在打字：

露出深粉紅色的柔軟果肉，果汁……

妳忍不住了，手指滑向大腿內側，中指曲起撥開濕潤腫脹的唇瓣，它們正如克勞帝歐想像的一樣多汁……

我喜歡將無花果掰開，塞進口中吃裡面的果肉，用我的舌頭舔拭每一滴汁液。

妳發出呻吟，放肆地撫摸著下體，一邊盯著螢幕，一邊用手指從濕潤的唇瓣往上觸碰小蒂，期待著每次訊息來臨時所伴隨的叮叮聲。

無花果與奶油，完美的結合。

似的。妳不顧錯字地打著。

所幸，克勞帝歐（妳注意到他並不使用大寫）是個不隨意批評他人的紳士。

我尤其喜歡深色具麝香味的無花果。

幾秒之後則是：

如此成熟多汁。

妳顧不上回覆訊息，只是無助地搓揉著妳的小蒂，感到濕潤的私處不斷湧上的迫切慾望，隱隱作痛的骨盆亟需獲得紓解。

我舔著纖細的內部果皮。

然後我再次進攻。

當他的訊息出現在螢幕上，一波巨大的高潮襲來讓妳崩潰，妳的身體在枕頭堆上拱起，筆電滑下床墊，但妳太享受而根本無法在意。快感在妳全身蔓延，有那麼幾秒鐘，彷彿克勞帝歐真的就在妳身邊，帶給妳愉悅滿足的高潮。

而妳明白剛才確實也就是這麼回事，可以這麼說吧。然後手忙腳亂地找著筆電，所幸妳沒有不小心關機或是登出，對話框裡已經有幾則訊息等著妳：

但也許妳覺得這樣夠了。

美人？

希望我沒有太冒犯了？

不，不。妳匆忙地打著。剛剛那樣真的真的很棒。

啊，我相信妳很滿意？我自己就很滿意。

妳臉紅了，然後伸個懶腰，雙手交叉直到關節發出聲響。

唔，這麼說吧，我今晚會睡得很好。

這樣的話，讓我吻妳道晚安，祝妳好夢。希望是夢到我。xxxx

妳微笑著回覆xxxx。妳總認為網路性愛有點缺乏人性，甚至有點低級，但剛才那一刻卻出人意料地浪漫，而且非常非常火辣，讓妳確實很開心……妳闔上筆電去放洗澡水，嘴角還掛著一抹笑意。

請翻至第21頁。

妳決定休息

唔，剛才真有趣。妳泡了個舒服的澡，給自己沖杯熱可可。正準備上床睡覺時，筆電又發出聲響，「真愛配對」裡有三則訊息等著妳。

第一則是雕塑家寄的：

也許現在是我們該聚聚的時候？

第二則是伯爵寄的：

美人，我想親眼見到妳美麗臉龐的慾望無比強烈。

而第三則是「紐約螢火蟲」寄的：

嘿，要不要IRL[2]見個面？

哇，三個人同時打著相同主意的機率也太小了吧，妳現在該怎麼辦？妳已經領了工作獎金，休幾天假也非難事，但妳真的想飛到沒去過的城市與陌生人見面嗎？

妳仔細衡量，試想著最糟的狀況。如果妳去了紐約卻和「紐約螢火蟲」不來電，妳依然可以逛街、看風景，沉醉在當地的美好氣氛中。而誰不想去威尼斯呢？連威尼斯人自己都喜歡去那裡度假。還有阿姆斯特丹，種種傳聞都暗示著去到那裡會面臨一趟狂野之旅，就算妳是騎腳踏車去也一樣。

抉擇的時候到了……

如果妳想去荷蘭找雕塑家，請翻至第23頁。

如果妳決定去找伯爵，請翻至第98頁。

如果妳接受「紐約螢火蟲」的提議，請翻至第202頁。

妳決定去阿姆斯特丹見雕塑家

妳打著字：

就這麼辦！我決定去阿姆斯特丹！

在妳按下「傳送」後，「荷蘭男孩」的訊息立刻就出現在螢幕上。

好棒極了！妳什麼時候來？

愈快愈好，妳想著，但妳決定不這麼回。妳很快地搜尋航班訊息，有一班划算的班機就在幾天後出發，妳把細節寄給他。

2　IRL為網路用語，為in real life的縮寫，意即「在現實生活中」。

我把我的住址正在寄給妳，還有我的名字，叫斯凡！很快看到妳來！XXX

妳微笑，至少X這字母的意思不會因語言隔閡而被誤解。

妳打開新的網頁，搜尋「精品旅館，阿姆斯特丹」，但當妳將網頁往下拉時，不小心按到旁邊的廣告，「線上情色閨房」的視窗跳出來在妳眼前閃爍。妳好奇地繼續往下瀏覽。妳對性愛玩具並不陌生，有人曾開玩笑地送妳按摩棒當生日禮物，從那時開始，它就不時成為妳的親密好友。但妳從沒真正去過性愛用品店，也不曾在藥局買過比潤滑劑或保險套更挑逗的商品。

妳瀏覽網站時，三件商品吸引了妳的目光。第一個是乳膠製白色護士服，以緊身馬甲搭配蕾絲，背後以紅絲帶固定，裙子很短，穿著坐下時一定會走光。這套衣服還附了白色網襪，以及讓妳想踏兩下說「沒有比家更好的地方[3]」的紅色漆皮高跟鞋，還有印有紅十字的必備頭飾和一件小得不能再小的內褲，基本上有穿和沒穿一樣。

嘿，如果第一次跟「荷蘭男孩」見面很尷尬，先穿上這套再親熱應該可以讓情況好轉。

下一件吸引妳的商品名為「SM性愛體驗包」。妳從沒試過SM，但妳也從沒訂過機票飛去見陌生人，所以今天看來是適合嘗試新事物的一天。商品內容包括一副看起來幾可亂真的手銬、一條尾端各自打結的黑色多尾皮鞭、一支短馬鞭，還有一張有點滑稽的黑色皮面具，口部還有拉鏈。斯凡也許英文說得不好，妳則一句荷蘭語也不懂，但打屁股這世界語言你們倆一定都不陌生。

妳繼續往下瀏覽，貼近螢幕觀看一個紫色小飾品。它是個子彈造型的裝飾，附有小型無線遙控器，就像車庫門遙控開關一樣。宣傳廣告上的描述是「遙控情愛彩蛋」，將會震動的子彈放進妳的小穴，由掌握遙控器的人選擇震動頻率、強度與時間長度。不難想像將會發生什麼事。

妳絕對應該買點淘氣小玩具帶去，萬一不想用就不要用，但如果用了一定會很好玩。唯一的問題是：妳應該挑哪一件商品呢？

如果妳選擇淘氣護士服，請翻至第26頁。

如果妳選擇SM性愛體驗包，請翻至第30頁。

如果妳選擇遙控子彈，請翻至第53頁。

3 電影《綠野仙蹤》裡女主角桃樂絲的經典台詞。桃樂絲同樣也以紅鞋造型為人所熟知。

妳選擇了淘氣護士服

妳深吸一口氣，將滑鼠移至「放入購物車」，然後點選。資料確認頁面跳出來，問妳寄送地址。當妳正想輸入妳家地址時，忽然靈光一閃。妳可以直接寄去斯凡家啊！再附上一則經Google翻譯機貼心協助寫成的調情訊息。該商家提供二十四小時快遞服務，妳算了下時間，順利的話，包裹應該明天就會送到他家，讓他得以先嘗嘗鮮。那是套非常可愛的制服，哪個精蟲衝腦的男人不會覺得心癢難耐呢？

妳找出那張寫了他家住址的紙條，填進表格，加上妳的信用卡資料，接受了使用者條款，然後打了一張短箋：

親愛的斯凡，

很期待與你本人見面。我知道這有點淘氣，但我想這套制服是打破尷尬的好方法。希望你會喜歡！

希望很快見到你。

X

藉由Google翻譯機的協助，文字變成：

Geachte Sven,

Ik kijk er naar uit u te ontmoeten in het vlees. Ik weet dat dit een beetje kinky, maar ik dacht dat dit outfit zou een geweldige manier om het ijs te brekenzijn. Ik hoop dat je het leuk?

Tot snel weerziens.

X

妳將這段文字複製並貼上頁面的空格，然後按下「送出」。這會是讓你們倆都永生難忘的盲目約會。妳拿出行李箱，度假的第一套服裝已經搞定，妳不打算在阿姆斯特丹穿太多衣服，但還是應該多帶幾件，以防萬一。

隔天早上妳正在忙著找護照，筆電傳來收到訊息的通知聲。妳之前一直在查看筆電，期待收到回音，想像斯凡收到禮物的表情就咧嘴而笑。

沒錯，是他的來信！妳的小腹湧上一股興奮。妳慢條斯里地打開訊息，讓期待感更濃烈。為什麼光是想著一個素昧平生的人就會讓妳性慾高漲卻又心煩意亂呢？一定是因為妳滿腦子都是他那雙雕塑家的手可能會對妳做的那些事。妳忍不住了，把訊息點開。妳很驚訝，內容是以荷蘭文寫的，但通常他會先翻譯好。妳很快地將之複製並貼到Google翻譯：

妳的包裹今天抵達了。
內容物讓我有點驚訝。
我想是要明智地跟妳說，我這裡並不像妳。
所以也許我們在阿姆斯特丹見面最好延到晚一點的時間。
我目前也因為在做一個新工作，所以妳不好現在來看阿姆斯特丹。
我把妳的綑綁服送回寄件者。
我希望妳找到妳想找的。

斯凡

妳的雙頰紅得發燙，綑綁服？他在說什麼？網路性愛商店一定是送錯包裹了。有了語言隔閡，妳該怎麼跟他解釋這個錯誤？即使妳可以，妳能正視他的雙眼嗎？真是個災難。

妳的筆電又發出聲響，妳打個冷顫，希望那不是斯凡。妳用手遮住眼睛，透過指縫看向螢幕。所幸是「紐約螢火蟲」的訊息，他只是上網說聲「嗨」。

嗯，也許妳不用取消行程，妳大可選擇另一個目的地。誰不愛紐約的消防員呢？義大利的花心貴族也令妳心動……妳一直想去威尼斯。俗話說，一扇門關了……

選擇去威尼斯拜訪伯爵，請翻至第98頁。

選擇去紐約找消防員，請翻至第202頁。

妳選擇ＳＭ性愛體驗包

妳手上拿著機票與護照，隨著隊伍魚貫前進。妳不敢相信自己在做什麼！有誰會就這麼跳上飛機趕赴一場盲目約會？顯然這個人就是妳。想到未來幾天可能會發生的事，妳的心就砰砰直跳。在妳抵達飯店並安頓好之後，妳打算做的第一件事就是告訴斯凡妳已安全抵達了，也許和他一起吃個晚餐。接下來的事誰知道呢？

妳緊緊抓著手提行李，除了一般旅行必備品外，裡面還有本新書、換洗內衣褲和妳的ＳＭ性愛體驗包。妳本來想將它放在托運行李的最底部，但萬一在轉機時遺失了，而海關官員必須打開行李箱以辨認失主呢？妳一定會糗得不敢去領回它，所以妳決定還是隨身攜帶好了。

妳光顧著作白日夢，沒把提袋放上輸送帶就直直走過金屬探測器，高頻率的嗶嗶聲響起，妳被嚴厲地叫回另一端。

「鞋子。」安全人員對妳喝斥。

妳脫下鞋子，和提袋一起放進托盤。

「皮帶。」

妳再脫掉皮帶，然後重新走過金屬探測器，警報大響，燈光閃爍，妳馬上被更多保全人員包圍。妳很快地在腦中替自己搜身，這次又是什麼讓警報作響？是妳的項鍊？還是胸罩的鋼圈？

但不是妳，而是妳的行李。糟糕，妳的喉嚨像是被橡實噎住了，一位女性保全人員搜著妳的身，另外兩位則開始翻查妳的行李，其中一位從袋中拿出手銬，眨了眨眼，然後瞪著妳看，另一位正盯著尾端打結的鞭子，還有（喔，更恐怖的來了）附有拉鏈的面具。妳漸漸發現一旁排隊的旅客正用混合驚訝和打趣的眼神看過來。看來妳已成為某些人未來旅遊小故事的主角，還會出現在別人的 Instagram 相簿和臉書貼文裡。

機場保全訊問室裡除了一張金屬桌、兩張椅子和角落一部上了腳架的攝影機外，什麼都沒有。妳在座位上變換坐姿時，小紅燈閃了一下。妳的思緒一團亂，到底該怎麼解釋這個情況？妳會被逮捕嗎？還有，妳趕得上飛機嗎？

在似乎等了一個世紀之後，門打開了，一個男人走進來，室內的氣氛起了種微妙的變化。妳不確定將會面對什麼，但絕不是個這樣的男人。他身材高大，肩膀很寬，有著一頭深色棕髮。他穿著緊身牛仔褲、格紋襯衫和黑色靴子，看起來不像機場官員，反而像是電視連續劇裡有著「山脊」、「樹梢」、「暴風」等酷炫名字的性格演員。

「抱歉讓您久等。」他邊說邊翻開妳的護照，對照起妳本人和相片。妳瑟縮了一下，要說那張照片難看還真是太委婉了。妳的大頭照根本就像是罪犯檔案照片，對妳實在不利。

他捕捉到妳的視線。可能只是妳自己覺得啦，但你們之間是否起了那麼點化學反應？他的下頷方正，牙齒白得完美，黑色長睫毛使他的藍眸看起來更加深邃。妳低頭看向他的手，它們比一般人的手大些（而且沒有戴婚戒），妳也很快地瞥了眼他的Timberland[4]靴子，也比一般尺寸大。

「你們保全人員不是應該穿制服嗎？」妳脫口而出。

他打量了妳好一會兒。「這就是我的制服，」他說，「我通常擔任臥底，有時也會被叫來處理比較……不尋常的案子。」

「喔。」

「好，我們來看看這是怎麼回事。」他說，接著把妳的提袋放在桌上。

妳從脖子紅到臉頰。「這是天大的誤會……」妳支支吾吾地說，「我不是……那不是……」

他拉開提袋的拉鏈，先拿出一條黑色蕾絲丁字褲，又熟練地摺起，之後看也不看妳一眼就放回包包裡。隨後又慢慢地將各式禁忌物品拿出來攤放在桌上，一邊在筆記板上做紀錄。

「警用手銬、長鞭、短鞭……」

妳在椅子上不斷往下滑，希望地上能開個大洞讓妳躲進去。

「……也許妳可以解釋一下這個？」他問，手上拿著面具。

「每年這個時候阿姆斯特丹都冷得要命。」妳說。

他在妳對面坐下，表情嚴肅。「妳明白這一切看起來很不妙吧？」他說。

妳點頭，找不到自己的聲音。

「我們對國際安全極度重視……」

「我不是恐怖份子！」妳尖叫，徹底感到恐懼，腦裡浮現出自己被關在關塔那摩灣[5]牢房裡的景象。妳顯然看太多深夜電視劇了。

「別緊張，」他說，聲音溫柔了點。「我們也不認為妳是。」他嘴角露出淺淺笑意。這男人真適合扮演電視劇裡的保安特警，他帥到不應該存在於真實世界中。

「真的嗎？」妳說，鬆了口氣。

「我們只是需要確認一下，我想妳懂的。不管怎麼說，我們查過妳了，妳可以走了。」

---

4 美國知名戶外運動品牌。

5 關塔那摩灣是美國在古巴的海軍基地，被美軍用來拘留與偵訊恐怖活動嫌疑犯或戰犯。

「喔，感謝上帝！」妳說。

他再次揚起嘴角，接著把提袋還給妳，讓妳可以收拾東西。妳拿起比較長的那支鞭子，迅速塞進袋子裡。

「我以前從沒做過這種事，真的。」妳喃喃道。

「每個人都這麼說。」他邊說邊站起來關掉攝影機。

「我真的沒有，我對天發誓，絕無虛言，否則以死謝罪。」

「好吧，但這樣的話，我反而有點擔心。」

「擔心？」

「是的，如果妳不知道妳自己在做什麼，這些物品可能會造成危險。」他用指尖勾起手銬，「我不想讓妳傷害到自己或是其他人。」他的眼睛閃閃發亮。「如果妳不介意的話，我可以示範給妳看看這些東西怎麼用。」

「你願意那麼做？」妳盯著他看，他真的是像妳想的帶有那種暗示嗎？

「當然，這基本上算是一種公民責任，我對使用這些東西很有經驗。」

「真的？」

「我是保安人員，記得吧。」

妳瞥了一下手表；如果妳趕一下，還可能上得了飛機，更別說斯凡還在旅途的另一端等著妳。或者，妳眼前其實正站著一位完美的盲目約會對象，用眼神勾引妳上床，還願意教妳一些小花招？為何要讓自己擠在飛機上，而不找個近在眼前的人呢？

如果妳選擇留在保安人員身邊，請翻至第36頁。

如果妳選擇衝去趕飛機，請翻至第42頁。

妳決定和保安人員留下來

「來，其實手銬很容易使用，」他邊說邊拿起手銬。「這些是標準型的，祕訣就是絕對不要弄丟鑰匙，否則就尷尬了。」

妳好奇他是否在用開玩笑掩飾自己的興奮。妳感同身受：妳靠向他面前的桌子，心跳不停加速。如果妳將要為了這傢伙錯過班機，一定要讓每分每秒都值得。

「只要像這樣扣起來，」他說著，將手銬的開口扣住另一頭。「看，很簡單吧。」然後他再示範如何解開。

「我不確定我完全懂了，也許你可以在我身上示範，這樣我會比較清楚。」妳把手往前伸出去，臉上一副無辜的表情。

妳聽到他呼吸一窒。「在這裡？現在？」

「嗯，你自己說的啊，如果我不知道如何正確使用，可能會傷害到別人。除非你還有其他事情，得趕去別的地方？」

「我想這件事得優先處理，我們這裡對安全問題非常重視。」他一邊說一邊走去鎖上門。

接著他走向妳，用拇指和食指圈住妳的手腕。「把手銬像這樣扣在手腕上，然後鎖住開口。」

「我還是不太懂，」妳說，他現在離妳很近，所以妳把聲音放輕。「也許你最好再示範一次。」

「站起來。」他下令，聲音低沉嚴肅。妳慢慢滑下桌子站起身，身子更加貼近他。「首先我要搜妳的身，確保妳沒有攜帶危險物品。」

妳站著不動，不太確定該怎麼回應。

他輕握妳的手臂往牆邊走去，妳恍然大悟。妳知道該怎麼做了，妳看過不少警匪電視影集。妳面對牆，手掌平貼在牆上。妳忍不住回眸一笑，他低吼了一句：「腳打開！」但卻同樣滿臉笑意。他用腳輕推妳鞋子的內緣，妳分開雙腿，呼吸開始變得不穩。

他從手臂開始往下搜妳的身，妳的脖子感受到他溫暖的氣息。他輕撫妳的肩膀，然後順著手臂往下，手指堅定地輕撫妳裸露的雙臂，所經之處的皮膚泛起雞皮疙瘩。他的手回到妳的脖子，但這次則是從後方繞到妳的身前，自鎖骨輕輕掠過胸部，妳的乳頭立即因他的觸摸而變硬。接著他撫向妳的腰際，拇指伸進妳裙內，挑弄著妳底褲上的蕾絲滾邊。

突然間，他放棄妳的正面，在妳身後蹲低，雙手在妳一條腿上來回愛撫，接著又換到另一條腿。他的手輕撫過妳的底褲。當他摸到妳的腳踝時，妳閉上眼，忍耐著不去懇求他回到雙腿間。

他站直身子，一語不發地將妳轉過來面向他，然後將妳的手腕按在牆上。

「妳的肌膚誘人至極。」他在妳耳邊低吟，妳迫切地想撲上前吻他，雖然心裡想著其實他根本是個陌生人，我現在應該上飛機去阿姆斯特丹。妳深吸一口氣，聞著他陽剛的氣息。他一手將妳的手腕按在頭部上方，另一手的拇指沿著妳的下巴輕撫。

他終於吻住了妳，一手同時從妳的背往下來到臀部，將妳摟得更緊。他的勃起頂著妳，硬挺地悸動彈跳。他退開一步。

「妳是個不聽話的小妞，對吧？」他說。

「恐怕是的。」妳聽話地說，伸出一隻手。他用手銬扣住妳的手腕，冰冷的金屬貼著妳的肌膚。妳聽到喀啦一聲。

「我懂了，」妳說，「原來它們是這樣用的？」趁他來不及反應，妳將手銬另一頭同樣扣上他的手腕。「糟糕，」妳咕噥，「我把鑰匙放哪去了？」

他的眼神閃爍，可能是因為緊張，但妳希望是因為慾望。「這下子我們可就分不開了。」他帶著妳回到桌旁。妳倚著桌緣，面向他，迫切想知道他的下一步。

他緊盯著妳，輕撫妳的臉頰，慢慢沿著脖子來到妳的上衣領口。他用一根手指挑開第一顆鈕釦，順著往下來到第二顆，然後同樣把它解開。他繼續往下，好整以暇地挑逗著妳，直到妳的上衣鈕釦全部分離。他拉開衣服，從胸罩中釋放出一側乳房，舌頭舔弄起尖端。他啃咬著妳的乳尖，妳呻吟出聲，隨後他輕輕向它吹氣，繼續舔個不停。他粗糙的手指和柔軟的舌頭，以及他清涼的氣息和妳灼熱的肌膚所形成的對比，使妳興奮地扭動。

他回到妳的肩膀，時而小口啄咬，時而溫柔吸吮，妳深知那樣做會留下吻痕，但想到能擁有那些回憶的印記就讓妳更飢渴。

最後，他的手滑到妳的大腿，在妳裙底糾纏。妳顫抖著身子，想要他更進一步。他再次傾身吻住妳，拇指溫柔地探索妳的小穴。妳扭動身體試圖貼近他，卻被手銬絆住，無法滿足渴望帶來了種美妙的挫折感。不對，是滿足需要。

「最後一個問題，女士，」他在妳耳邊喘息。「這真的是妳要的嗎？」

「是的。」妳輕聲說。

「就像這樣？」他一邊問，同時把一根手指探入妳體內，妳忍不住呻吟出聲。

「再來。」妳倒抽一口氣，他滑入第二根手指，掌握住某種節奏。妳雙手撐著身子往後仰，他一下子就使妳達到了高潮。妳頭昏眼花、半躺半坐在桌上，他分開妳的雙腿，俯下頭去舔妳的蜜穴，和妳銬在一起的那隻手固定著妳的腿。妳簌簌發抖，高潮過後的私處幾乎無法再承受任何敏感刺激，但他避開妳的小蒂，專注在妳的入口，用舌頭探入又抽出，直到妳的呻吟聲再度響起，這一切幾乎令妳無法招架。

他似乎感覺到妳已無法思考，於是直起身子，與妳相銬著的手緊握著妳，接著深深地吻住妳。妳徹底沉醉在他嘴唇的觸感中，但他也沒有忘了妳的小穴。他一邊親吻妳，一邊用膝蓋以溫柔的節奏碾壓著它。空出來的那隻手愛撫著妳的身體，擠捏妳的雙峰，搓揉妳的乳尖，然後他再次蹲下，雙唇回到妳的小蒂，舔拭妳，吸吮妳，讓妳神魂顛倒地顫抖連連。

「噢，天啊。」妳說，再次感受到他的舌頭與手指深深探入妳體內，最後他猛力進攻妳的小蒂，所有快感集合而成的強烈高潮一觸即發。這次妳靜靜地任由高潮到來，但兩顆豆大的淚珠滾下了妳的臉頰。

等妳回過神來，他站直身子，抹去妳的眼淚。一段沉默之後，他問：「妳說不知道鑰匙在哪裡是開玩笑的吧？」

妳咯咯笑著摟住他的脖子，妳已心滿意足，懶得再逗他了。「在我包包裡，側邊口袋。」他伸手翻找，接著握住妳的手腕，妳聽到喀啦一聲。你們都自由了，他揉著妳被銬過的手腕。「解決了一個，還有兩個。」他說。

「兩個？」

他指著桌上的兩條鞭子。

「那個呢？」妳說，指著第三項，也是最後一項物品：面具。

「我們不需要那個，」他說，伸手摟住妳。「我想我們已經夠暖和了，而且我們今晚還有很多事得做。」

（全書完）

妳衝去趕飛機

「如果我趕一下，還是可以搭得上飛機。」妳邊說邊看錶，把東西收拾好塞進提袋裡。他是很帥，但妳又能怎麼做？跟他在偵訊室裡春風一度？無論如何，令人興奮的阿姆斯特丹和「荷蘭男孩」（也就是斯凡）還在等著妳。

他拿起手銬說：「恐怕妳不能帶這些上飛機，會違反飛安條例。」

「答應我你會好好處理它們？」

「我向妳保證。」他嘴角輕揚。

妳離開前，他將面具遞給妳。「妳最好帶著這個，我不希望妳著涼。」

妳忍不住笑起來，匆忙往登機門衝去，妳的過夜提包比四十五分鐘前輕了許多。

得以及時趕到登機門前讓妳鬆了口氣，更慶幸的是這班飛機還有不少空位。妳努力要將提袋塞進座位上方的行李櫃時，排在身後的男子停下來幫忙。看來騎士精神還沒絕跡。妳欣賞著他把妳的提袋舉過頭頂時展現的二頭肌，襯衫隨之掀了起來，露出些許光滑黝黑的肌膚，還有一撮延伸至他牛仔褲頭下方的柔細毛髮。他發現妳在打量他，妳紅著臉向他道謝，然後坐進自己的位子，讓他可以繼續往後方走。

「其實，我的位子在那裡。」他指著和妳隔著一個空位的靠窗座位說。我就知道！妳站回走道上讓他先進去，然後回到自己位子坐好，用眼角餘光偷瞄他。你們兩人中間的座位還空著，妳愈來愈喜不自勝。機長的聲音從對講機中傳來，通知你們本班機將因為濃霧而延遲起飛，你和鄰座乘客互相翻個白眼。「希望妳不趕時間。」他說。

妳聳聳肩。「沒什麼緊急的事。」

「出差還是度假？」他問。

「快樂的度假，」妳說，「你呢？」

「出差。」

「等等，讓我猜，你是太空人吧？」

他失笑，整張臉亮了起來。

「好吧，那麼，特技演員？」妳問。

他又笑了，搖搖頭。

「替身演員？吹玻璃大師？火箭科學家？」

「建築師。」

「我本來就打算猜這個，我發誓！」妳說。

「所以，妳的先生沒和妳一起旅行？」他問。妳認得這句顯然是全球通用的密語，本意是要問：妳單身嗎？

「還沒結婚。」妳說，舉起沒戴戒指的手搖一搖。「你呢？你的老婆或女友不介意你沒帶她一起出差嗎？」

「不，她們都不介意。」他說，狡猾地笑。

班機延誤了好久，空服員決定提供飲料安撫乘客。但妳和鄰座乘客聊得很開心，根本沒注意到時間。你們分享了個人基本資料，妳知道這位新朋友的名字叫萊恩，此行目的是去參加一個會議，喜歡攀岩和旅行，而且微笑時露出的魚尾紋性感得不得了。這不是他說的，是妳自己得出的結論。

空服員開始提供晚餐，他點牛排，妳選了雞肉，他把盤裡的橄欖撥給妳。你們都不吃青椒，同意那東西簡直是魔鬼的傑作，因為非常難吃。

「我們最好把它喝完。」萊恩說，用手指輕點小酒瓶。

「有晚餐，又有酒……如果我們不是困在這個超大鐵皮箱裡的椅子上，這一切就像是約會一樣。」妳說，舉起杯子讓他為妳添酒。

「沒錯，但要說清楚，如果我想和妳約會，我保證絕不會帶妳去使用塑膠杯的地方。」

機長終於宣布班機將在十分鐘後起飛，空服員將妳的餐盤收走，機艙內的燈光因起飛而調暗，飛機開始在跑道上滑行。妳拆開耳機戴上，在觸控螢幕上瀏覽，隨便點選了一部片後按下「播放」，但沒有聲音。妳用力按著按鈕，將音量開到最大，還是安靜無聲。

「如果妳願意的話，我很樂意與妳分享，」妳的鄰座說，將耳機從他的iPod上拔下。

「用這個來聽音質會好很多。」

如果妳寧願看書，請翻至第46頁。

如果妳想共享耳機，請翻至第47頁。

妳寧願看書

「你人真好，謝謝，但我想我就看點書好了。」妳說著，一手伸進腳邊的皮包內袋。

「妳看什麼書？」他問。

「我還沒開始看，書名叫《愛的69種玩法I：邂逅》。」妳讓他看封面。

「好吧，希望妳喜歡。」他說。

「我想我會的。」妳說，往後靠坐，打開書。沒有什麼比新書裡的精采冒險更好看的了。

請翻至第1頁。

妳與他共享耳機

安全帶指示燈一熄滅，萊恩馬上移到妳旁邊的空位坐下，拉近距離使你們之間產生了一點火花。

「晚餐與電影，」他說，「這樣才算得上像樣的約會。」

他拉起你們座位間的扶手，妳感覺到他的體溫。

「那麼，要看什麼呢？愛情喜劇片、動作片還是恐怖片？」妳問。你們一起選了部兩人都聽過的演員主演的電影，然後往後靠坐，各自用毛毯蓋住身子。妳的左耳和他的右耳相連，使妳像個見獵心喜的青少年，但不是壞的方面。

妳按下「播放」，片頭出現後，你們倆嚇得幾乎跳起來，妳測試完壞掉的耳機後忘了把音量關小。妳按下「靜音」，兩人都笑了，他動手調整音量。

看電影時，妳清楚感覺到他的腿和手臂貼著妳，撩起一波波如針般輕刺的慾望在妳全身流竄，使妳無法專心看電影。他不經意的觸碰令妳難以招架，妳很想不動聲色地稍微挪開些許，只有這樣才能釋放妳不斷意識到的性張力，但妳又不想離開他身邊。他只要一動，妳就在想，他到底是故意的，還是只想在狹窄的座位中坐得舒服點。

妳想著斯凡正在阿姆斯特丹等妳，但妳還沒見過他本人，這也許是他的不對，才幾週的前戲信件來往就讓妳感到如此興奮。

電影看了十五分鐘左右，出現了一幕露骨的性愛場景，妳忽然口乾舌燥，懷疑萊恩是不是故意挑了這部電影。電影裡的男子走向他的情人，熱情無比地吻她，然後扯開她的上衣，露出女人完美無瑕的雙乳，乳尖堅挺得像兩座小山丘。男子將一側的乳尖含進嘴裡，同時掀起她的裙子，妳看得目不轉睛。萊恩在妳身邊挪動身子，坐立不安，毛毯下因勃起而撐高的小帳蓬讓人很難忽視。他逮到妳在偷看，雙雙匆忙地撇開頭去。

女演員脫掉情人的襯衫，指甲搔刮著他的胸膛。妳試探地把手伸進萊恩的毛毯裡，用指尖畫過他的腿。妳聽到他倒抽了一口氣。

你們專注地盯著螢幕，看到男演員脫下情人的底褲，將臉埋入她雙腿間。

突然間，妳在自己的毛毯下感覺到他的手，手指輕輕地撫摸妳的大腿，在妳裙襬下探索。妳在他腿上微微施力鼓勵著他，他更加大膽地用力愛撫妳的腿，用手指揉捏，然後慢慢畫著圈往上移動。

螢幕上的性愛場景持續升溫，妳的膽子也大了起來。妳用手握住他的勃起，在毛毯下的它恰好貼合妳的手掌。他的分身抖了一下，妳無法再抗拒，拉下他的褲子拉鍊，透過他柔軟的棉質內褲撫順著他勃起的形狀輕撫，然後往下捧住他的囊袋。

他的手繼續往上游移，開始隔著妳的底褲揉搓妳的小穴，底褲因他的碰觸而變得濡濕。妳抬高私處抵著他的手，雙腿稍稍分開。妳縮起小腹，因為他正在拉扯妳底褲的鬆緊帶，他的手探入布料內側，肌膚溫暖著妳。他輕撫妳的密林，用一隻手指摩擦妳的小蒂。他的碰觸使妳再也無法靜坐不動，耳機掉了下來。

一位空服員經過幽暗的走道，你們倆僵住不敢亂動，妳的手從他的勃起上移開。

「我要去一下洗手間，」妳在他耳邊輕聲細語。「歡迎你一起來。」

他不情願地將手指抽出，挑逗了一下妳的小蒂後才將整隻手縮回來。

妳在毛毯下整理了一下裙子，在幽暗的機艙內起身，走過睡得東倒西歪的乘客，意識到他就跟在妳身後不遠處。

你們倆擠進那小小的空間，鎖上身後的門。廁所很狹小，你們必須緊貼在一起。他一聲不吭地抓著妳，首次雙唇貼合，他熱呼呼的舌頭伸入妳口中，身體緊緊地擠壓著妳。

他忙著摸索妳的上衣，努力想解開釦子。他拆開了妳的胸罩釦，把妳的裙子掀過腰際，妳伸手摸他的勃起，飢渴地想用手感受那柔滑的硬度。妳手忙腳亂地找到他的釦子和拉鏈，接著扯下他的褲子，露出他傲然挺立的男性。他的手再次伸進妳的底褲，將它拉下，用手指挑逗撫弄著妳的唇瓣。

他的手指再次在妳的甬道內探索，使妳驚喘出聲。「你想上我嗎？」妳在他耳邊輕聲問，一手更用力地揉搓他的硬挺。

「噢，想。」他低吼。

「我要你進來。」妳呢喃，不太確定自己變成了什麼樣的人，但非常享受這種感覺。

他讓妳轉過身，妳的手掌平貼在面前的鏡子上，呼吸令鏡子充滿霧氣。他啄咬著妳的後頸和耳垂，接著環抱住妳，伸手往前撫摸妳的雙乳。他的手隨即往下移動，先找到妳的小蒂，然後撥開妳的唇瓣，再次用手指撩撥妳，妳聽見他的手指在妳私處引發的水聲。妳忽然聽到撕開保險套包裝的聲音，提示妳該打開雙腿了。妳俯身往前，站穩身子。

他一手固定著妳的臀部，勃起的尖端從後方頂著妳。妳抬起臀部往後靠，讓他可以順利進入。他的硬挺撐開了妳的小穴，使妳呻吟出聲，他一點一點深入妳體內，直到完全沒入充滿妳。「還好嗎？」他喃喃地問。妳的回答是：「喔，天啊，太美妙了。」他開始在妳體內衝刺，每一下都伴隨著低吼。妳感覺無比舒暢，配合著他的每次撞擊往後頂，剛開始還能跟隨他的節奏，隨後就達到狂野失控的高潮邊緣，室內只剩下妳的急促呼吸與肌膚相互撞擊的聲音。

「不要停，」妳呻吟著，幾秒後告訴他，「我要高潮了。」妳全身繃緊，肌肉擴張又收縮。妳一度只沉浸在自己的高潮中，所有感受都變得誇大明顯。而在最後幾次衝刺後，他也射了，兩手牢牢抓緊妳的手臂，從胸腔深處發出低吼。

你們倆花了好幾分鐘平緩呼吸，他在妳耳邊輕聲問：「是我自己這麼想，還是我們剛通過了一陣強烈的亂流？」

妳在行李轉盤旁等行李，臉上是藏不住的笑意，萊恩的滋味（他趕著轉機到法蘭克福去）還停留在妳唇角。妳的口袋發出振動，妳一時以為可能是高潮帶來的餘震，但其實是妳的手機，是妳的姊妹淘回覆妳「安全抵達」的訊息。

「旅途還好嗎？再說一次妳搭乘的是哪家航空公司？」

「萊恩航空，」妳回覆，「真他媽的一級棒。」

妳的行李出現了，妳再次微笑：如果目的地能有這趟旅途的一半精采，妳可就走運了。

請翻至第52頁。

妳抵達了阿姆斯特丹

史基浦機場就像是一間高檔購物中心。妳拉著行李走過服飾店、旅遊用品店、咖啡廳和販賣「我愛阿姆斯特丹」T恤及大麻菸斗的紀念品商店。妳忽然看到一間高級情趣用品店，腳步慢了下來。

妳一邊打量著櫥窗內那個紫色子彈小裝置，一邊思索，送個小小見面禮給斯凡應該很不錯。但那是妳想像中的東西嗎？那種用遙控器操控的體內按摩棒？妳走進店裡，花掉在阿姆斯特丹的第一筆歐元。時間會證明一切，妳想著，並把美美的粉紅色包裝放進手提袋裡，前去搭乘進城的快車，妳有股預感，這筆錢會花在該花的地方。

請翻至第53頁。

妳滿懷期待去見雕塑家，袋子裡裝著不錯的按摩器

妳不敢相信妳終於來到了阿姆斯特丹。妳忐忑不安地走向餐館，隨手順了一下身上微微起皺的洋裝，這是妳直接從行李箱裡拿出來穿的。妳已經把行李寄放在飯店，現在要前往頗具復古與藝術風味的約丹區見斯凡。

運河河道之間的鵝卵石街道細長狹窄，妳經過船屋，某些人家窗台的花壇裡滿是艷麗的鮮花，有些船屋既沒人住又缺乏照顧。這城市的一切都散發出古老的氣息，但因為當地居民的存在而不讓人覺得過時。這一區住著各式各樣的人，有年輕家庭，也有藝術家和遊客。

妳在運河盡頭停下來，站在一輛踏板和輪胎都早已丟失，只剩一副車架但仍然鎖在人行道扶手上的單車旁，再次查詢手機地圖。妳發現走訪阿姆斯特丹非常容易，火車站在城市的最高處，街道與運河以某種邏輯呈放射狀往外延伸。妳再次確認與斯凡相約見面的花園餐館的地點，就快到了。

妳看著自己在櫥窗上的倒影，突然充滿了不確定。如果他不出現怎麼辦？如果他出現了，看起來卻一點也不像他寄給妳的照片怎麼辦？如果他其實是個變態、色老頭或是一心

想清空妳銀行帳戶的騙子怎麼辦？妳飛來見他之前也許就該想到這些。但無論如何，現在打退堂鼓也來不及了，妳已經抵達這個樸實舒適、有著深紅色雨棚的小巧酒吧式餐館。就是這裡……妳深吸一口氣，走了進去。

花園餐館裡面的燈光昏暗，妳眨眨眼，四下張望。妳幾乎一眼就認出他了。感謝上帝，他和檔案照片裡長得一樣，你們四目相接，妳呼吸一窒。他嘴角一勾，站起來走向妳。他比照片中看起來更高大，體格也更壯。妳可以從他簡單的長袖T恤看出包在裡面的好身材。妳欣賞著他橄欖色的肌膚和左眉處的一道傷疤。女生都喜歡帶疤男兒的陳腔濫調可不是瞎掰出來的，妳心想——那讓他散發出一股粗獷的吸引力。妳好奇那疤痕是怎麼來的，也許是騎機車出了意外（他有機車騎士的味道），又或許是狗咬的？妳必須極力按捺下用手指觸摸它的衝動。

「妳來了……」他用濃濃的荷蘭腔英語跟妳打招呼。

「是你……」妳說，你們親切地對對方微笑。妳與他握手，但他想向前擁抱妳。輪到他退後一步要和妳握手時，妳卻傾身向前要摟抱他。你們倆都笑了。

「在阿姆斯特丹，我們用這種方式親吻打招呼。」他扶著妳的肩，親吻妳的臉頰。他很高，所以必須彎下身。妳聞到古龍水的香味，混雜著松節油的味道，還有藝術家的氣息。藝術家的手也有點粗糙，還帶著點淺淺的油彩痕跡。接著他親吻妳另一側臉頰，妳本能地在第二個吻之後退開一步，以為他結束了，但他緊抓著妳，把妳拉過去在妳臉頰上親吻第三次。「在這裡，我們親三次。」

妳得制止自己指著嘴唇問：「那麼，這裡要親幾次呢？」斯凡帶妳回到桌旁，幫妳拉開椅子。長得帥又有騎士精神，他的分數真是不斷往上加。妳對聊天的疑慮是多餘的：他說英文的能力比書寫好多了。拋開少數的語法錯誤不提，妳發現你們有很多事可以聊，先聊起了傷疤，那是他接第一個案子時受的傷，但他說他現在經驗更豐富，近來手上功夫也好多了。妳懷疑他是不是故意在暗示些什麼。

你們很快地點好了菜，也用完了餐，食物簡單卻美味無比。服務生已經收走餐盤，妳環顧四周，發現整間餐館裡只剩下你們兩個人。

斯凡伸手覆著妳的手臂，停留了好幾秒，妳肌膚上的每寸神經都起了反應。「到我家去喝杯睡前酒如何？」

有何不可呢？妳想著，天色還早，而且妳來阿姆斯特丹也不是要耗在飯店房間裡的。

妳覺得很了不起。斯凡的閣樓小公寓就坐落在數個得以居高臨下眺望運河美景的高檔社區之間。通往閣樓的階梯既陡又窄，一次只容得下一個人走。妳跟在斯凡身後，一路忍不住盯著他完美的臀部打量。

「這地方真不賴。」妳說，欣賞著室內的裝潢。除了廚房和一扇應該是通往浴室與儲藏室的門，這裡是個開放空間，天花板很高，木質地板上沾著星星點點的顏料。裝潢簡單卻有型，沙發和茶几簡約時尚，一張時髦的四柱大床靠著牆放置，牆上沒有任何藝術作品則讓妳有點意外。

「妳想喝點什麼嗎？」他問。

「好啊。」

他走進廚房，妳趁機繼續探索，打開其中一扇門往裡面偷瞄。門後通往一間小巧乾淨的浴室，另一扇門則通往擺滿藝術品和雕塑品的工作室。

妳想見識他的作品，便興奮地走進去，但馬上就後悔了。噢，老天。首先映入妳眼簾的東西是個嚴重變形、可怕至極的男子雕像，他的左眼突出，嘴唇腫大，頭的一側還長了些陰森恐怖的東西。妳打個冷顫，繼續看下一件：一幅心理不正常、有色盲且完全沒有幽默感的人才看得懂的風景畫。妳看向另一件雕塑品：一對男女彎下腰來嘔吐。妳的胃感到不適，噁心感因房裡其他作品而不斷增加：狗在拉屎的擬真畫作，以及會讓妳作好幾個月惡夢的油畫。妳聽到水煮開的鳴笛聲，很快地溜回閣樓，感覺自己眼冒金星。

妳眼前是可怕的事實：斯凡可能是妳遇過最糟的藝術家。為何妳沒想過先上Google搜尋一下他的作品？他的「藝術」可能引發觀者癲癇或偏頭痛。更糟的是，對世界各地其他的藝術家是種嘲笑。這真是太瘋狂、太可怕、太變態了。妳想要跟品味這麼差的人更進一步嗎？

如果妳決定更進一步，請翻至第58頁。

如果妳決定離開，請翻至第65頁。

妳決定留下

斯凡從廚房走出來，遞給妳一個冒著熱氣的馬克杯。妳聞了一下：不熟悉的味道，但也許是某種茶。妳喝一小口，燙到舌頭。「可惡！」

斯凡把妳的杯子拿走，放在他的杯子旁。

「我親吻的技術比較好。」他說。妳還來不及回答，他就用手指勾住了妳洋裝的口袋，深深看了妳好一會兒，然後俯身親吻妳。他的唇柔軟又溫暖，妳馬上把燙到的舌頭拋諸腦後。這比網路性愛好多了。

他一手拉下妳洋裝的拉鏈，另一隻手撫摸著妳光裸的頸子，然後下滑至妳的背，沿著鬆開的拉鍊碰觸露出的部位。他不斷親吻妳，靈巧的舌頭探索著妳的嘴，手指在妳的脊椎來回游移，使妳興奮難耐。

「天啊，妳好美，我要畫妳。」他喃喃說道。

「從來沒有人為我畫過肖像。」妳有點擔心地說。同時也不確定是否準備好看到哈哈鏡版本的自己。

「不，我不是要畫妳……」他說。

「無論你想說什麼讚美之辭，我都聽不太懂。」

他看著妳，顯然被弄糊塗了。「我的意思是我要在妳身上作畫。」

「在我身上？」

「妳的肌膚比畫布更美。」

啊，真高竿，他用這句話騙過多少女人？但說實在的，妳安心多了。至少在自己身上，妳就不用看到他的畫，當然，他的提議也確實很有趣。

他往後退一步，脫掉襯衫，秀出白色緊身背心，肌肉在布料下起伏波動。他公事公辦地走進隔壁的工作室，不久後拿著調色盤、筆刷和一些顏料再次現身。「壓克力顏料，」他解釋，「別擔心，洗得掉。」

他把作畫工具放在床頭桌上，輕扶妳的肩膀使妳轉過身。妳裸露的背部朝向他，他把妳的頭髮從頸背上拂開，吻著那兒柔軟敏感的肌膚，接著吻上妳的耳垂，使妳泛起雞皮疙瘩。他慢慢地拉下妳的洋裝，衣服滑落到地上，妳身上只剩胸罩、底褲和高跟鞋。他把妳轉過來，一邊親吻一邊帶著妳到床緣，你們一起躺了上去。

你們繼續親吻、愛撫，探索彼此的嘴和指尖，他跨坐到妳身上，伸手去拿調色盤。妳目眩神迷地看著他擠出黃色、藍色、紅色和白色顏料。他用手指混合少許藍色和黃色顏料，變成美麗的深綠色。然後他的注意力回到妳身上，沾了顏料的手指對著妳。

「等等，你的床單會弄髒啊。」妳說。

「管它的！」他低吼，手指移到妳鎖骨中間的頸窩，在妳身體中間畫下一條長長的直線，直到細緻的底褲邊緣才停下。他把調色盤放在妳的頭側，解開前扣式胸罩的釦環，往兩邊拉開，露出妳的雙峰。他用藝術家的熱烈眼神緊盯著妳，妳忽然感到羞澀，雙手交抱在胸前。他抓住妳的手腕，俯下身子深深地吻妳，讓妳心防盡卸。他的背心中間沾上了妳胸前的綠色線條，使妳咯咯嬌笑。

他一把脫掉背心，身材一點也沒讓妳失望。他的肌膚曬成古銅色，胸前有一撮淡金色的胸毛。他肌肉發達，但不是健身房裡練出來的那種猛男，而是像焊接工、搬運工那樣從日常生活中鍛鍊出來的體魄。妳認為很完美。

他取回調色盤，這次用手指沾了些紅色顏料。他專心地在妳左側乳房外緣畫出一個大圈，溫暖的氣息拂著妳的肌膚。接著，手指依然貼著妳的身體，他把線條拉過去和剛剛留下的綠色痕跡交叉。覺得滿意後，他簡單補充了手指上的顏料，在妳另一側乳房重複剛剛的步驟。他跨坐在妳身上，緊靠著妳的勃起讓妳很開心，妳抬起身體頂他，下體濕潤且隱隱作痛，渴望著即使只是輕輕的磨蹭。

斯凡沾取了些黃色顏料，畫出另一個圈，這次比較靠近妳的乳尖，但依然未真正接觸到它。他挖了更多顏料，在另一側乳尖作畫，但卻不再是畫圈，而是從上往下畫出一條線將妳的乳房分隔成兩區。他畫過乳尖時速度放緩，妳的蓓蕾已因為興奮而繃緊，嘴裡逸出一聲呻吟。他強烈的集中力和觸摸妳身軀的手指讓妳幾乎無法招架，但妳渴望更多。妳試著坐起來，用鼻子磨蹭他的脖子，但他輕輕地將妳推回去，依然專注在他的藝術創作上。

這次，他拿起調色盤將綠色和黃色混合在一起，在妳肚皮上畫著螺旋圖案，直到抵達妳底褲的褲腰邊緣。他沿著比基尼線的柔嫩肌膚畫出一條線，來到妳的腿部時妳忍不住呻吟出聲。他在妳兩腿間輪流作畫，從大腿內側開始畫下一條長線來到妳的腳踝，然後又回到妳的大腿。

最後，他挖起一大塊藍、紅混合出的紫色顏料，開始在妳的底褲上作畫。先在妳的小蒂上垂直畫線，最後從肚臍開始拉出一條線往下畫到妳的小腹，沿著雙腿間的隙縫開口一路畫到妳的後臀下方。妳扭動著身體，渴望他再做一次。他照做了，動作更加緩慢撩人。

「我想你畫夠了。」妳喘息著，將他翻過來仰躺在床上，接著跨坐上他的腰際，這次他沒有反抗。妳低頭看著他的臉，用拇指輕撫那橫過眉毛的疤痕，第一次見到他時，妳就想這麼做了；妳俯下身貼著他，壓著他的胸膛，將胸前的顏料塗到他身上，同時身子往下滑動。你們接吻，糾纏扭動，翻來覆去。妳飢渴的小穴頂著他隆起的褲襠，隨後解開他牛仔褲的鈕子。妳稍微起身，讓他一併脫掉內褲和牛仔褲。

他側身越過妳，從床頭桌的抽屜中拿出保險套，撕開包裝。妳從他手裡接過來，迅速將保險套戴上他彈跳悸動、沾染了顏料的勃起。妳爬回他身上，懸在他上方吊了一會兒胃口，接著往下一坐。他的勃起深深頂入妳體內，使妳哭喊出聲。妳彎身咬住他的肩膀，讓他更用力地往上挺進。

接下來，一切都變成了萬花筒般的繽紛色彩，你們快速用力地占有著彼此。他大喊一聲，比妳先一步達到高潮，但妳仍繼續挪動身子，控制著速度與強弱，妳知道該如何讓自己高潮，而狂喜就快襲來。他雖然逐漸疲軟，卻仍在妳體內眷戀，妳繼續扭動，讓妳的小蒂承受足夠的摩擦，直到高潮讓妳全身抖顫，滾燙的舌尖幾乎能嘗到顏料的味道。

你們一起躺在髒兮兮又皺巴巴的床上，身上的汗水與顏料因夜晚的空氣而漸漸乾硬。

「我等不及要帶妳去看我的作品和我的城市了。」斯凡說。

妳埋在枕頭裡說了些話，點點頭，蜷在他身邊漸漸睡得不省人事。

幾小時後妳醒來，一時弄不清自己身在何處，直到皮膚上乾掉的顏料提醒了妳。妳在斯凡身邊躺著不動，呼吸聲顯示出他睡得很熟。即使昨晚很盡興，你們的對話卻有些不自然，但妳不怪他，妳自己也無法用第一或第二種外語和別人滔滔不絕地聊天。妳不否認性愛很火熱，但他的作品實在太過醜怪，只能用「嚇死人」來形容。妳確實很吃驚，妳期待看到許多兼容並蓄、創意十足的作品，可能還帶點粗獷原始風味（類似他本人那種），但絕不是妳看到的那些畸形怪物。等到他之後帶妳去參觀作品時，妳絕對掩飾不了自己驚恐的表情。藝術家可是很敏感的，如果妳膽敢批評他的大作，尤其是嘔吐那件，是某種自我滿足的表示，妳不認為他會欣然接受。

妳悄悄移開身子，從他身邊溜下床鋪，乾裂的顏料自妳身上剝落。他打著呼嚕翻過身時，妳嚇得停止不動，他的下巴沾上一道深色顏料，呼應著他眉間的疤痕。妳躡手躡腳地往外走，一路順手抓起衣服穿上。身上還沾著顏料並且光著腳，妳匆匆忙忙離開他的公寓，走進阿姆斯特丹的清晨。妳穿回高跟鞋，在運河邊散步，呼吸著早晨的新鮮空氣，同時試著找出回飯店的正確路線。

幸好，斯凡不知道妳的下榻之處。妳在皮包裡翻找出寫著他家裡電話和地址的小紙條，在經過橋邊時將它丟掉，看它像落葉一樣在水裡隨波逐流。妳匆匆走過橋，途中差點被一輛單車撞倒，看著那張紙條漂往另一頭，最後被運河暗黑的深水吞噬。看著他的聯絡方式消失，妳對於就這樣拋棄他有點內疚，畢竟，他不知道妳已經欣賞過他那些驚悚可怖的作品。妳告訴自己，稍晚要記得傳個訊息給他，謝謝他帶給妳一個美好的夜晚，然後亂編一些理由，為自己的突然不告而別表示歉意。

妳倚在橋邊圍欄上看著河水，天空漸漸轉為紫紅色，隨後亮了起來。這一切也沒那麼糟啦，畢竟妳已經享受過了，就算沒找到心中真正所想的又如何？妳還有二十四個小時可以體驗這舉世聞名、令人著迷的城市，可以探索博物館、商店和美食餐廳。

妳靈機一動。阿姆斯特丹之行結束後，妳沒理由不能將這場冒險延長下去。何不問問紐約的「螢火蟲」是否還想見上一面呢？還有威尼斯的那位神祕伯爵……

前往義大利與伯爵同歡，請翻至第98頁。

聯絡「紐約螢火蟲」並前往不夜城，請翻至第202頁。

妳決定離開斯凡的公寓

斯凡拿著兩個冒著熱氣的杯子從廚房走出來。他把茶遞給妳，妳捧著它吹涼。茶太燙了，妳不想燙傷舌頭。

「晚餐很棒。謝謝你。」妳說。

「是我的榮幸，我也很開心。」他說。

妳假裝打個呵欠，看看手表。「其實，我累壞了，一定是因為長途旅行的關係。我想我還是回飯店休息好了。」

斯凡看起來有點失望。「或許明天我可以帶妳到處逛逛？」他提議。「這個時節來阿姆斯特丹旅遊剛剛好，我可以給妳看看我的作品，然後我們可以去參觀博物館、吃點午餐……」

妳聽到他提起作品時心頭一沉，妳不確定自己的演技是否好到能假裝讚賞。

「聽起來不錯。」妳擠出一句回答。

「我幫妳叫計程車？」他問，妳感激地點點頭。他伸手拿起電話撥號，十分鐘後外面就傳來了喇叭聲。斯凡送妳到門口，妳準備轉身再次向他道謝，他卻把妳拉進懷裡，給妳一個突如其來的吻。他的唇柔軟溫暖，他的吻飢渴中帶著試探，妳的下巴感覺到他刺刺的鬍碴。妳回應著他火熱探索的舌頭。沒多久，計程車又按了一下喇叭，他放開妳。

「明天我們去好好看點東西。」他說。

妳走下狹窄的階梯，雙腿發軟，斯凡緊緊跟在妳身後。計程車開走時，妳回過頭，看著站在門前的他，屋內透出的光線讓他整個人籠罩在朦朧光暈之中。突如其來的慾望在妳體內蕩漾，妳懷疑自己是否做了錯誤的決定。幸好還有明天晚上，雖然一瞬間它似乎變得很遙遠。

妳跟斯凡約在他的工作室見面，地點離他的公寓只有幾條街。半路上妳經過在運河旁三角形空地設立的小型農產市集「北市場」。這是新鮮有機食物的聚寶地，也很適合在此吃早餐。妳停下來買了杯調味濃咖啡和加了黑莓、酸奶油及黑糖的可麗餅——畢竟，妳總得為今天的旅程做好心理建設。感覺自己變得更加強大之後，妳找到工作室，摁下門鈴，雙手在胸前環抱。

「妳終於可以看到我的工作室和作品了。」斯凡說，一邊拉著妳的手帶妳進門。妳心中恐懼莫名，準備硬著頭皮看向那些可能更加令人毛骨悚然的藝術作品：妳已經在飯店對著鏡子練習過「噢我好愛」的虛假表情了。

妳一走進他的工作室，首先看到的是一座大型銅像，一對男女擁抱著彼此。妳一口氣噎在喉頭，這跟妳想像的不一樣。

「我可以摸它嗎？」妳低聲問。

斯凡點點頭。

妳輕輕觸碰女人微揚的裙襬，她的洋裝看起來柔軟又真實，好像正站在通風口被吹起一樣。妳難以相信自己觸碰的東西是金屬而不是絲綢。手感雖然冰冷，但這個雕塑散發出一種不可思議的溫暖感覺，好像這對男女的熱情正從雕塑內部往外發熱。妳不需要假裝，臉上那「噢我好愛」的表情再真實不過。

妳欣賞下一件作品，是一幅用炭筆勾勒的馬。畫功熟練又感性，將馬的側面像畫得靈活有力，好像就要從牆上奔騰而起。妳環顧整間工作室，欣賞著更多的作品，有些已經掛起來，有些還靠著牆排放，每一件都比前一件更加熱情洋溢，妳好想把這屋裡的每件作品都據為己有。

「它們簡直無與倫比。」妳終於說，聲音細得如同耳語。

「妳很驚訝嗎？」他問。

「不是，嗯，也算……只是……這完全不像你的其他作品。」

「什麼其他的作品？」

「你家裡的那些。」

「什麼作品？妳是說我閣樓旁邊的房間？」

妳怯怯地點頭。

「那不是我的作品！」

「不是嗎？」

「不是！妳以為我會創作出那種東西嗎？人在嘔吐？」他驚得往後退開一步。「那是我一個朋友的作品，他的生活出了點問題，正在接受藥物勒戒，離婚後連孩子也沒了，我留著他的作品，等他的人生重新恢復正軌。」

妳不太自在。妳怎麼會以為那些恐怖傑作是他的？跟妳在網路上聊天的那個人絕不可能創造出那些鬼東西。

「我就知道不可能是你，」妳說，試圖挽回局面。「你的作品就像你的人：美麗，充滿創意，並且性感迷人。」

妳發現他的下巴不再緊繃，心裡鬆了一口氣，剛才可能差點就會一發不可收拾。

「那麼，關於這個城市，」妳改變話題。「我們要先看什麼呢？」

「看情形，妳想先看阿姆斯特丹的哪一面？」他問。

「有哪些面呢？」

「嗯，妳時間有限，而阿姆斯特丹卻非常多采多姿，所以由妳決定。我們可以來點文化巡禮，或是探訪性感的那一面，由妳選擇。」

如果妳想看看阿姆斯特丹的文化，請翻至第70頁。

如果妳想看看阿姆斯特丹性感的一面，請翻至第87頁。

妳想看阿姆斯特丹的文化

妳早就看過關於阿姆斯特丹紅燈區的影片，對那種東西實在沒興趣。

「文化巡禮吧，」妳說，「你有什麼想法？」

斯凡想了一會。「梵谷美術館怎麼樣？雖然那裡有很多觀光客，但它是阿姆斯特丹我最喜歡的地方之一。」

妳忽然想起皮包裡那個紫色子彈型小巧按摩棒，美術館正是個用來測試的好地方。「聽起來很不錯，」妳說，斯凡的臉像聖誕樹一樣亮了起來，顯然對於妳先前的失禮已經釋懷了。

妳還得做一個小決定：該由誰來掌控這場遊戲？妳要把遙控器留在身邊，偷偷地自己來嗎？還是大方分享妳的小玩具，把掌控權交給斯凡呢？

一方面而言，在公共場所暗自享受一場祕密高潮實在非常墮落，而且還是在一間舉世聞名的美術館，但不會有人知道妳打算做什麼。但話說回來，有個共犯不是也很好玩嗎？

如果妳要把遙控器交給斯凡，請翻至第72頁。

如果妳要自己留著遙控器，請翻至第79頁。

妳決定把遙控器交給斯凡

妳走進工作室的洗手間，在鏡中檢查儀容。這個任性妄為、予取予求的瘋女人是誰？妳幾乎都不認識自己了，但妳喜歡這樣。

管他的，妳想。妳離家這麼遠，遇到熟面孔的機會微乎其微。即使一切都變了調，明天以後妳也不會再見到斯凡，所以又能有什麼損失呢？

妳坐在馬桶座上，打開包裝取出紫色裝置，這東西像是大顆的子彈，也像帶點橢圓的雞蛋，其中一頭牽了條線。隨附的遙控器看起來像是車庫遙控鎖，有三個按鍵：電源、標示著加號的按鍵和標示著減號的按鍵。

妳打開電源，小子彈在妳掌心振動起來。妳按下加號，五種設定都試了一下，從輕柔的微震到最高強度，它在你手中發出劇烈的振動。

妳關掉它，抖顫著手解開牛仔褲的釦子，拉下底褲，小心地將子彈插入體內，站起身來時才感到體內有一點點壓迫。

妳將遙控器放回盒裡，用面紙把整個盒子包起來，拿皮包裡翻找出來的粉紅色髮帶綁好。妳扣好牛仔褲，洗了手，冷靜下來，向鏡子裡的自己點頭打氣，接著走回工作室。

「我有東西要給你。」妳說，拿出臨時包好的小盒子。

斯凡驚訝但開心地抬頭。「給我？」

「應該說是給我們倆的。」妳說。

他撕開包裝，東西掉在地上。妳啞然失笑；妳讀過某篇文章，妳可以從一個人拆禮物的方式來判斷他是什麼樣的情人。有一種叫「慢郎中」，他們總是小心翼翼地拆開包裝，不想弄壞，也許是想回收留待以後再用；另一種叫「急驚風」，迫不及待想知道內容物是什麼，連外包裝都不管了。這種人會狠狠扒開妳的衣服占有妳。妳似乎找到了一位急驚風。

斯凡用長繭的手拿著遙控器，好奇地猛瞧。

「這是什麼？」他問，把它翻過來看。

「遙控器。」

「遙控什麼？」

妳把掉在地上的盒子撿起來，給他看盒子上紫色小子彈的照片。

斯凡過了一會才弄清楚那是什麼，臉上露出一抹邪惡的微笑。他研究著遙控器，在手中把玩。「但它在哪裡？」

妳嚥了下口水，往大腿方向指，妳的蜜穴因自己的大膽而興奮起來。他則一副目瞪口呆的傻樣。

「我們不是要去美術館嗎？」妳說，一邊抓起皮包和大衣快步往門口走去，無法再多忍受一秒他的視線。

斯凡跟上妳，牽起妳的手帶妳走過大街小巷。到處都是運河、行人和單車，妳聞到烤麵包、熱油與咖啡的香味，經過咖啡館時偶然飄出的大麻味，以及夾雜著落葉與汽車廢氣的塵世氣息。妳必須隨時提高警覺——妳抵達阿姆斯特丹還不到二十四小時，已經至少逆向誤闖單車道四次，外加一次輕軌電車道。

斯凡指著一輛朝妳駛來的電車，你們快步向前才趕上。他幫妳付了車錢，然後跟著妳往車裡走。電車開動時，妳不小心失去平衡，向後跌靠到他身上，妳可以感受到他有多壯，健美的胸肌貼著妳的背。妳找位子坐下，他坐到妳後面一排去，但是中間隔著走道，妳可以意識到他盯著妳頸背看的視線。

電車突然急轉彎，妳抓住前方的椅背，接著又被小穴傳來的微微振動嚇了一跳。妳轉頭看斯凡，他很悠閒地靠在座位上看著窗外，若無其事地吹著口哨。

妳回頭看著前方，專注在那種感覺上。小子彈的振動很微弱，因為電車本身的顛簸而幾乎感覺不太出來，但確實存在。突然間，振動強度增強，使妳再次在座位上掙扎扭動，斯凡還是看著窗外，但眼裡透著淘氣。

妳決定不讓他繼續欣賞妳的反應，妳閉上眼睛，小子彈的強度卻又增加了。小穴裡悸動的感覺太美好，妳必須合攏雙腿，努力不讓臉上露出表情。妳緊緊抓著前方的椅背，用力到指關節都變白了。

振動停止了。妳清清喉嚨，睜開眼睛，坐直身子，手指從前座椅背上鬆開。妳不想再和斯凡對望，以免讓他過於得意忘形，妳只是若無其事地交叉雙腿，假裝什麼事都沒發生過。妳做好萬全準備，以免私處再出現其他動靜，但小子彈一直靜止不動。妳慶幸還好有點機會可以整理一下情緒，認真欣賞阿姆斯特丹的景色。它和妳之前去過的其他城市截然不同——這兒滿溢著歷史的氣氛，到處都是深色的石頭與磚塊，但色彩、調性和活躍的居民卻又使它生氣勃勃。妳終於對斯凡回眸一笑，他腿間的一團突起物非常顯眼。

很好，妳想著。至少不是只有妳感到無可救藥地慾火焚身。

你們倆在梵谷美術館門口和其他遊客一起排隊，這獨特的建築物使妳暫時忘記體內的有趣小狀況。妳很驚訝這棟建築物竟然如此現代，像是由玻璃與混凝土塊結合而成的。

「妳還好吧？」斯凡在妳耳邊悄聲說。

「從沒這麼好過，」妳微笑著答。「但也許我們需要制定一些規則。」

「沒問題。」

「我認為我們需要一個暗號，告訴你何時要繼續，何時該停止。」

斯凡想了一下。「用藝術品來暗示怎麼樣？」他建議。「如果妳說妳喜歡某件藝術品，則表示『繼續』，如果妳說妳不喜歡某個作品，則表示『停止』。」

妳點點頭，斯凡一手摟住妳，狠狠地吻妳。他的左腿嵌進妳雙腿之間，妳強烈感覺到他的大腿貼著妳牛仔褲褲襠的壓力。小子彈沒有動靜，但在妳體內的感覺很明顯。心知遙控器正掌握在斯凡手上是個誘人的祕密。妳加深了這個吻，一時忘記身旁還有一群渴望接受文化薰陶的遊客。

「我們去看看藝術品吧。」斯凡說，低頭對妳微笑。

妳提心吊膽地在美術館內閒逛，等著他把電源打開。斯凡對藝術太有熱情，在每件作品前駐足欣賞，用他荷蘭腔的英語與妳分享著梵谷的點點滴滴——妳好像有了一位專屬（而且很帥）的導覽員。不久之後，妳就以為他已經忘記了口袋中的遙控器和妳體內的小子彈，所以決定和他一樣專心欣賞藝術。半小時過後，當妳正專注地欣賞著梵谷知名作品「黃屋」時，突然感到體內傳來一陣振動，而斯凡就站在妳旁邊，若無其事地研究著下一幅畫，雙手插在口袋裡。

妳站穩身子，雙腳稍稍打開，專心調整自己的呼吸。他靠近妳身邊。「妳覺得這幅畫怎麼樣？」他問。

妳用力嚥下口水。「這幅？」妳說，試著不讓聲音顫抖。「我喜歡。」妳慢慢移動腳步，停在下一幅畫前，畫中是一棵繁花盛開的樹。妳停下來時，體內的小子彈振動強度再次增加，妳費盡力氣讓自己看起來淡定自如。

斯凡挪過來，將手放在妳的後腰處，輕輕按了一下。「這幅呢？」他用沙啞的聲音問。

「我也滿喜歡這幅的，但還不是我的最愛。」妳咬著下唇，假裝用心研究那幅畫。但妳的心跳開始加速，振動搖撼著妳的甜蜜點，快感正在漸漸堆積，高潮就要來臨。

斯凡牽起妳的手，小子彈依然震動不停，他帶妳去看下一幅畫，然後將振動強度再次往上調。這下可是來真的了，妳再也無法掩飾。感覺膝蓋已無法撐住妳的身體，妳找到一條長凳坐了下去，緊緊交叉著雙腿。斯凡在妳身邊坐下，把妳摟在懷裡，高潮開始從妳身體深處慢慢點燃。這種感覺一旦開始，妳就無計可施，所以妳讓它一陣一陣地在妳體內穿梭，直到妳再也無法忍受。

「我不喜歡這幅畫，」妳大叫，仍然沉醉在高潮中。「我一點也不喜歡！」

振動漸漸緩和下來，最後一波高潮讓妳全身輕顫不已。妳抬起頭，赫然發現妳剛剛對著它大喊不喜歡的畫作是梵谷最著名的自畫像之一。一對面容嚴肅、可能總共擁有四個藝術史學位的夫婦驚恐地盯著妳看，而梵谷本人則在畫框裡悲傷地凝視著妳。

妳把頭靠在斯凡的肩上，聞著他身上的麝香氣息，同時注意到他的勃起在褲子裡彈跳，幾乎快把拉鏈撐開了。他似乎也跟妳一樣興奮。

「妳真的不喜歡嗎？我是不知道啦……」斯凡說，捏了一下妳的手。「但這幅畫可能剛變成了我這輩子最喜愛的作品。」

（全書完）

妳決定自己留著遙控器

梵谷美術館很壯觀，外觀是冷峻的現代風格，以玻璃、鋼鐵和鋼筋水泥堆疊建造而成，就像小孩子玩的積木。內部環境則讓人感到平靜，即使妳正處於人山人海之中。第一次看到大師作品總是使妳感動。通常它們都比妳想像得更小，或更大，或是更有質感、顏色更鮮艷或是更細緻。

你們倆並肩在展間內穿梭，斯凡回答妳對藝術作品的所有問題，他顯然對這個地方瞭若指掌。

過了一會，妳託辭離開，走進了最近的洗手間。在小隔間的私密環境裡，妳拆開包裝，拿出小子彈，閱讀一下使用說明，然後深呼吸，將它插進體內。

妳站起來整理衣服，將遙控器強度調到最低，準備讓自己嘗試一下。小子彈在妳體內滋滋地振動起來，嚇了妳一跳。這種感覺很奇妙——妳從沒有體驗過來自體內的振動。妳試探地在隔間內走了一、兩步，覺得這樣行動很舒服，所以妳往上加強一級，接著再加一級，以便測試它的強度。因為不想讓自己這麼快就興奮過度，妳關掉了電源。

洗手時，妳因滿懷期待而忍不住打顫。想起斯凡絕不會知道妳在看著梵谷畫作的同時還一邊自慰，妳就莫名地興奮。

妳走回美術館內，發現他正在研究著名的「紫色鳶尾花」。他很專注，幾乎沒注意到妳出現。妳站在他身邊，一手伸進口袋，打開遙控器調至最低振度，感受體內的小子彈滋滋地動了起來。它還不至於讓妳過度興奮，但可以感到一股微微的悸動。

斯凡牽著妳的手走向下一幅畫，這是唯一顯示出他還記得有妳在身邊的動作。妳不在意。他對已經看過千百次的藝術作品還這麼熱衷，這點滿可愛的。

妳偷偷將強度往上加一級，小子彈加速時，妳忍不住握緊斯凡的手。現在振動變強了，妳私處的內壁裡傳出滋滋的震盪。妳發現要是妳收縮肌肉，小蒂也會跟著振動，產生更強的快感，妳可能再過幾分鐘就會高潮。但那樣太快了，妳想再拖延一下子。

到了下一個展間，妳一看到長凳就走過去坐下，假裝欣賞面前的作品，斯凡則專心看著梵谷的其中一幅自畫像。妳把遙控器調到最強，用手往後撐著身體，體內的小子彈瘋狂地振動。妳慢慢地縮放著蜜穴的肌肉，變換從脊椎向上蔓延的振動強度。因為妳現在是坐姿，甚至還能感受到臀部的振動，妳整個下半身都在搖撼。

妳再也忍不住了——高潮瞬間來臨，快速地襲捲了妳。妳緊緊交叉雙腿，讓振動更強烈，然後閉上眼睛，聽見自己心跳的聲音。高潮來得太過強烈，妳忍不住發出呻吟。妳只好手忙腳亂地匆匆關掉口袋裡的遙控器，才能盡量不引人注目地專心看畫，同時恢復呼吸。

妳睜開眼睛左右張望，室內的景象漸漸變得清晰。幸好，展間裡只有遠處角落一位看起來很無聊的保全人員，和一個瞪著妳看的老婦人。

斯凡專心研究著一個雕塑品，妳小心地起身，步履蹣跚地走過去。

「真美啊。」妳說，研究起一個女子半身雕像。

「我想要做妳。」他說，雙唇拂過妳的耳際，令妳全身一顫。

「你是說想跟我做？」

「那也是，」他調皮地說，「但我的意思是我要創作。妳知道的，妳的半身雕像，我可以做得比這個更好！」

「真的嗎？」妳說，想到他的手終於可以撫上妳的身子，高潮後微微痠痛的小穴又活了起來。

「那麼，該怎麼進行呢？」妳問。

「很簡單。妳脫掉衣服，我用熟石膏做妳身體的模子，然後漆成銅色。」你們已回到他的閣樓小屋，小子彈沒開。斯凡大半隻手臂正浸在白色石膏糊的桶子裡攪拌。基本上妳已經在這個人面前高潮過一次（梵谷也看到了），所以在他面前脫光似乎也沒什麼大不了的。

妳在浴室裡脫掉牛仔褲，取出小子彈，感到小穴又被喚醒。妳對自己的性慾旺盛感到驚訝（但暗地裡還滿開心的）。斯凡幾乎還沒怎麼碰妳，之前的高潮都是妳自己弄的，所以妳還滿期待他對妳上下其手。妳身上只剩底褲，身上披著一條白色大浴巾，走回閣樓裡去。

斯凡放了音樂，害得iPod沾到了些白色石膏糊。作畫的墊布已經鋪在地上。妳在浴室門口等著，他呼喚妳過去，一板一眼地指示妳站上墊布。

妳聽從指示，一手抓著浴巾，好奇自己將要面對些什麼。

斯凡試著把垂在臉上的微捲劉海吹開，但成效不彰，於是他用手指撥開，在額頭留下了一道白色痕跡。妳看著他一臉嚴肅卻沾著白色液體的滑稽臉孔微笑，這也讓妳稍微放鬆了些。

「接下來呢？」妳問。

斯凡伸手拿來一塊棉布，開始撕成條狀，手臂肌肉因為這個動作而賁張律動，妳想像著那雙靈巧的手摸遍妳全身，所有疑慮消失無蹤。

「先用這個抹全身，」斯凡邊說邊遞給妳一大罐凡士林。「那樣石膏就不會黏住。」

妳轉身背對他，微微分開雙腿，浴巾滑落在地上。

「你可以幫我塗後背嗎？我不想漏掉任何地方。」妳說。屋裡很安靜，除了妳的心跳聲隆隆作響，妳希望只有自己聽得見。斯凡靠近妳，溫暖的呼吸輕拂妳的肩頭。

「會有點涼喔。」他貼在妳耳邊說。妳閉上眼，沉醉在他的口音之中。他的手輕撫著妳，將清涼的凡士林塗抹在妳的肌膚上，他的手很有力，雖然長繭又有疤痕，但依然靈巧無比。

「好了。」他終於說。

妳慢慢轉身面向他。「還沒完全好。」妳說。

斯凡將手伸進凡士林罐子，接著在妳胸前塗抹，妳可看出他眼中濃濃的渴望。他從妳的胸口往下抹，經過妳的雙峰，然後塗抹妳的小腹，最後回到妳的雙乳，手掌溫柔地擦過妳的乳尖。

凡士林塗抹完成之後，他伸手拿起第一條棉布浸滿石膏糊，輪流以十字交叉的方式將棉布條敷到妳身體的正面，再用掌根把每片布條整平。妳抬起手臂讓他能處理妳的側邊。他必須快速動作，石膏才不會在他完工前硬掉。他完成妳的正面之後，又走到妳身後，在妳的背部敷上第二層。

石膏開始在妳的肌膚上變得暖和乾硬。妳注意到斯凡眉毛上閃動著汗珠的光澤，他拉起上衣從頭上脫掉，肌膚上的金色毛髮和他的身體一樣細滑，令人難以抗拒——如果妳能動，絕對會忍不住伸手撫摸他的胸膛。他的手指觸摸著已然變硬的棉布，性張力在你們之間迸發。

「好了。」他退開一步，現在妳全身上下都裹著抹上石膏的棉布。

他清理環境，再把手洗乾淨。石膏變硬了，緊緊繃在妳的肌膚上。等他對石膏乾燥的情況感到滿意後，他小心翼翼地拆下妳前身的石膏，然後拆背後，將兩片石膏放在墊布上晾乾。沒了石膏的遮蔽，妳感到無所遁形，忍不住用手遮住胸部。

「現在呢？」妳問，聲音輕如耳語。妳飢渴地想要他碰觸妳，並不是因為他想用妳做藝術品，也不是因為他想救妳不被疾駛而來的單車撞上，而只是純粹因為他想要撫摸妳。

「妳願意的話可以沖個澡。」斯凡試探地說。

「你這裡有一點……」妳邊說邊摸著他額頭上的石膏痕跡。

「也許我最好跟妳一起洗。」他說。

「也許吧。」

聽到妳這麼說，斯凡抱起妳，用壓抑了整整一天的熱情吻住妳。他抱著妳進浴室，因為差點失去平衡惹得妳咯咯笑。他暫時把妳放下，解開自己的皮帶，拉下沾著石膏的牛仔褲的拉鏈。妳脫掉底褲，走進淋浴間，斯凡跟了進來，太急著脫掉牛仔褲而差點絆倒。

熱水澆淋著你們的身體，妳把海綿打溼，開始將殘餘的凡士林和石膏洗掉。他把海綿拿過去，從妳的胸前往下，慢慢地擦洗妳的身子。妳仰起頭，享受海綿擦在身上的感覺，如貓舌頭舔過一般的刺激。

當他洗完妳的正面和背面，妳轉過身，拿走他手裡的海綿，開始刷洗他的胸膛和手臂，接著是他的腳，最後來到他的大腿。然後妳開始清洗他的鼠蹊部，從他的囊袋開始，往上來到他的勃起，妳用另一隻手輕捏那硬挺，他往後靠著牆，因妳的上下撫摸而呻吟出聲。

妳蹲下身子，將他含進嘴裡用力地吸吮，手上的動作也持續不停，繞著粗大的勃起挪動。斯凡拉妳起身，捧著妳的臉對妳說了一句荷蘭語。他再次抱起妳，妳的雙腿箍著他的腰，他關上水龍頭，抱妳走出淋浴間，把妳放在洗手檯上。浴室裡充滿霧氣，妳看不清楚他的樣子，但他確實硬邦邦又活生生地站在妳面前。

妳用嘴進攻他的脖子，又親又咬，他一手伸到櫃子裡翻找著某樣東西。妳不停挑逗他，等他撕開保險套包裝，妳幫他套上那已經蠢蠢欲動的勃起。妳張開雙腿，他的尖端碾揉著妳的小蒂，直到他找到妳蜜穴的入口。終於，他滑進妳體內，經過一整天的挑逗與個人秀，有他愛著妳、深深地填滿妳，真是至高無上的人間享受。

妳半是低吼半是撒嬌地任他占有妳，每次都以不同深度衝刺，讓妳無法預知接下來的招數。不知道他到底是要一路長驅直入，還是用緩慢輕淺的方式撩撥妳。妳感覺得到他有所保留，因為他想要好好享受，讓這一刻更持久。

但妳想登上顛峰，現在就要高潮，所以妳向前擺動臀部，催促他配合妳的節奏，他開始一下一下地撞擊妳。妳緊緊裹著他，抓著他的頭髮，指尖感覺到他緊繃的背肌，妳在他的耳邊喘息說著「等等」，任由自己的高潮來臨，有那麼一秒鐘，妳怕他會停止衝刺，但他的拇指滑下妳的小蒂，高潮猛烈襲來，讓妳以為整個世界都在旋轉。

妳的頭往後靠著鏡子，小穴緊緊包覆著斯凡的硬挺一縮一放，他仍在妳體內顫動，妳的小腿勾著他緊實完美的臀。

他的頭往後仰，輪到他享受美妙的高潮了，他的脖子青筋畢現，口中喊著一些荷蘭文，一定是代表他們的**天啊！天啊！天啊！**也或許是**噢！該死、噢！該死！**無論那些話是什麼意思，都是一場驚天動地的釋放，他的身體不斷抽搐顫動。之後，他將全身的重量壓在妳身上，頭靠在妳的頸邊。他的勃起依然在妳體內彈動。妳鬆開勾在他腰際的腳踝，背靠著鏡子，兩個人都喘得上氣不接下氣。

妳用手指撫著他起伏的背，微笑地想，妳可能得延長這趟旅程了。畢竟，阿姆斯特丹還有好多地方可以探索。更重要的是，妳也許應該留下來看看妳的石膏模型會是什麼模樣。

（全書完）

妳想看看阿姆斯特丹性感的一面

「所以，妳確定要去看阿姆斯特丹性感的一面？」斯凡說。

「入境隨俗啊……」妳說。「真人性愛秀怎麼樣？聽說很刺激！」

「妳確定嗎？」他問。

「有何不可呢？這一定是阿姆斯特丹最性感的地方了。」

「妳說了算。」他說。「再給妳最後一次改變心意的機會？我們還是可以去美術館之類的地方喔。」

如果妳寧願去美術館而放棄真人性愛秀，請翻至第70頁。

如果妳想去看真人性愛秀，請翻至第88頁。

妳選擇去看真人性愛秀

妳剛坐定沒多久，就有一對男女手牽手走上舞台。男表演者比他的女伴矮一些，他的身材結實，肌肉發達。她則又高又瘦，穿著裙子、襯衫和高跟鞋，像是祕書或學校老師的制服，但看起來有點挑逗意味。

男女走向舞台上的圓床，燈光轉暗，音樂響起，男子開始親吻女子的唇角。他用快速熟練的動作脫去女子的衣服，並未在胸罩上多作留戀，解開自己的褲子皮帶時也毫不猶豫，兩人很快就脫得一絲不掛。一切發生得很快，好像他們的衣服瞬間融化了似的，然後他們就直接開始性交。妳不知道自己為何那麼驚訝，妳並不認為他會先帶她去吃晚餐和看電影什麼的，但一切發生得太快，而且一點也不性感。

妳以為觀賞這種表演會讓人想入非非，但結果卻好像是在看一場臨床實驗。第三排有一群來開趴的醉漢開始歡呼叫囂，讓妳覺得有點反胃。

舞台上的男女以傳教士體位開始表演，每隔幾分鐘他們就輕鬆轉換成另一個新的姿勢，像是排練過的，一點也沒有妳想看的激情與飢渴。男子將女伴翻過身來，從後面進入，圓床在妳面前轉動，妳忍不住打了個呵欠。斯凡注意到了，妳對他做個鬼臉。

「走吧。」他說，拉著妳走出劇場，經過一個穿著大衣的駝背男子。妳別開視線，那顯然不是妳付錢想要觀賞的畫面。

你們站在街上，離夜總會門口有一段距離，看著人潮進進出出，確實裡面也有一波波高潮來來去去。一旁的街道上櫥窗林立，穿著眼花撩亂不同款式內衣的女人在窗裡搔首弄姿，想要吸引過路客。一名男子鑽進窗邊的門，窗裡的胖女人馬上拉起窗簾私下迎接他。五分鐘後，他會精疲力盡、皮包空空地離開。真是有趣的交易方式，但也太過公事公辦，跟妳剛剛看的秀一樣僵化無感。

「對不起，」妳說，「剛剛真是糟糕，跟我想像的一點也不一樣。」

「妳以為是什麼樣子？」他問。

「我以為會很性感什麼的，但剛剛那表演連一點慾望都沒有，好像在看機器人一樣。我想有些幻想還是留在腦子裡比較好。」

「妳接下來想做什麼？」他問，牽起妳的手。

「我不知道，你有沒有什麼幻想？我們來實現其中一個怎麼樣？」

他看著妳的眼睛。「妳確定？」

「有何不可？」

他盯著妳，然後嘴角微揚。「沒問題，」他說，「那麼這樣如何……？」

如果他的幻想有點狂野，請翻至第91頁。
如果他的幻想有點出人意料，請翻至第96頁。

他的幻想有點狂野

絲綢圍巾緊緊綁著妳的手腕，斯凡將妳一手綁在床柱上，再將另一手也綁住。妳的眼睛被矇著，所以什麼也看不見，但這似乎讓妳其餘的感官變得更敏銳。他離開了一會兒，接著妳感覺到他溫暖的手撫摸著妳的腳踝，如絲綢般的觸感貼著妳的肌膚。妳的腳踝也被綑綁著拉向床尾。他將妳另一條腿綁在床尾另一側時，妳忽然心生一絲懼意，知道自己只能任他擺布了。

他開始親吻妳，用力且熱情。他的舌頭包覆著妳的，細細品嘗，將妳的飢渴逼到極限。雖然妳才認識他不久，但妳清楚明白了兩件事：妳信任他，而且妳想要他占有妳。

他探索著妳的雙唇、脖子和耳際，牙齒輕咬妳柔軟的耳垂，接著用舌頭舔拭。妳想碰觸他，用手指梳理他的髮絲，但妳的四肢都遭到綑綁，除了在他的身體部位每次貼近妳時回吻、囓咬、吸吮一番之外，妳無計可施。他的味道和氣息如此強烈——火熱，微鹹，帶著點麝香以及現在已經很熟悉的松節油味。

他的嘴唇從妳耳邊游移至妳柔軟的下巴底部，然後往下來到妳的胸前，使妳心跳加速。

然後他回頭再次親吻妳，妳感覺到他正在解開妳上衣的釦子，輕輕拉開。接著他從妳身上離開，妳知道他正在凝視妳，妳在他身下興奮扭動。

他的手指再次探索，這次往下撫摸妳的肚子，然後摩擦起妳的小腹。「妳的內褲濕透了。」他低喃，將妳的底褲拉下大腿，妳忍不住呻吟出聲。他將細緻的底褲從妳腿上脫去，妳聽到東西撕裂以及底褲掉在地上的聲音。然後是皮帶釦與拉鏈的金屬聲，以及他的衣物丟在地上的聲音。

妳再次感受到他身體的重量，他跨坐在妳身上，如堅石的硬挺緊靠著妳濕透的小穴。

「妳想要什麼呢？」他喃喃問，聲音出奇地貼近妳的耳邊，妳以為他正直挺挺地坐著，但其實他應該是俯身在妳上方。

「我要你占有我。」妳有氣無力地說。

「妳說什麼？我聽不到！」

「現在就上我！」妳要求他。

妳聽到撕開塑膠膜的聲音，一定是保險套的包裝，接著是一陣靜默。妳不安地扭動，知道他是故意拖延時間，妳希望自己的手至少有一隻能自由行動，這樣就能握住他，感覺他的硬挺，然後引導它順利進入妳。

終於，他的尖端挺進了妳的花園，妳驚訝又愉悅地大口喘息，那碩大的硬挺一下下推擠著妳，將妳推向高潮邊緣。他幾乎立刻抽離妳體內，稍等了一會，然後再次用力插入，深深地挺進。然後他就這樣停在原地，動也不動，完完全全、毫不保留、巨大無比地填滿了妳。

妳再次感到他正慢慢往外抽出，但這次只有一小部分，然後又深深往回頂，他進入的力道使妳呻吟，如果感覺不是如此銷魂，妳相信可能會有點疼痛。

他再次退出半截，停頓了幾秒鐘，妳不斷甩頭，試著想知道接下來會發生什麼事，迫切地要他重新抓住節奏，妳的背不由自主地往上拱起。

「要我加快速度嗎？」他問。

妳急切地點點頭。

「說出來。」他說。

「快一點。」妳求他。

「不行，時候未到。」他挑逗著妳，只將尖端留在妳體內。妳移動著臀部，試著夾住他的勃起，引誘它更進一步，但他避開了，慢慢抽出自己，所以妳只好靜止不動，等著他再次進攻，這時的妳幾乎已瀕臨瘋狂。

「求求你……」妳悄聲說。他終於一路直直衝入妳體內，突如其來的愉悅使妳低低地尖叫出聲。

他終於開始占有妳，起初是緩慢地挑逗，然後速度加快，妳都認不出自己哀求著想要更多的聲音了。最後，當妳再也受不了他的逗弄，他開始用完美的節奏緩慢耐心地頂進。高潮即將襲來，終於爆發，妳受到綑綁的身子顫動不已。

接著，斯凡重新跪在妳雙腿間，硬挺的勃起仍貼著妳的大腿。過了一分鐘，他鬆開了妳的腳，接著是妳的手腕，妳坐起身想拿掉眼罩。

「不要！」斯凡指示，將妳翻過身趴在床上。身體重獲自由讓妳鬆了口氣，於是妳跪起身，將自己的私處奉獻給他。

他即刻來到妳身後，用堅挺的勃起摩蹭妳濕潤的唇瓣，尖端抵著妳腫脹悸動的小蒂。然後，他抓著妳的臀，深深挺入妳體內，這個角度帶給妳一種截然不同的感受，每個動作都撞擊到妳的甜蜜點。妳已經體驗過高潮，所以現在的律動只是為了讓他自己達陣，妳往後靠，隨著他的衝刺收縮，急切地想讓他抵達終點。這才是性愛，激烈的性愛，在漫長的挑逗過後顯得額外過癮。

斯凡緊握著妳的雙乳迎接高潮，妳夾緊雙腿，緊裹著他的分身，使他的高潮更加愉悅。但當妳縮緊私處時，卻被第二波的高潮侵襲。妳抬起臀部迎向他，手指碰觸著小蒂，隨著他的高潮一起衝上顛峰，妳的小穴夾著他的勃起不斷收縮，妳能感到他的汗珠滴在妳背上。你們雙雙癱軟在床上，氣喘吁吁。

妳將眼罩拉開，在臥室模糊的光線下眨了眨眼。真是見鬼了，妳體內的幸福餘韻依然連綿不絕，但妳心裡只有一個念頭——阿姆斯特丹的風土人情真是名不虛傳。

（全書完）

他的幻想有點出人意料

「喔，對了，寶貝……就是那裡……」斯凡喘息著說，「往左一點，好，再來，再來，不要停，好舒服……」他的聲音因愉悅而沙啞。「用力一點，用力一點……現在輕一點，再輕一點。」

「噓，」妳說，「我聽不見。」他安靜下來，妳在床上移動，舒服地靠著枕頭，用指甲搔刮他的背。「我真不敢相信，你最狂野的幻想就是躺在床上，一邊看著〈決戰時裝伸展台〉，一邊讓我搔你的背。」

「那只是第一部分。」他說。

「第二部分是什麼？」妳問，海蒂．克隆在電視上說著：「在時裝界，今日可能大紅大紫，明日卻可能乏人問津[6]。」

「再見，海蒂。」斯凡說著，按下遙控器關掉電視。他翻過身來吻妳，一手撫摸著妳的身軀，一手開始靠近妳的雙乳。

「喔，」妳說，對他微笑。「我有預感我們可能要在自己的伸展台上廝殺一番囉。」

（全書完）

6 〈決戰時裝伸展台〉（Project Runway）是以時裝設計為主題的美國真人實境秀，參賽設計師必須依照每集設定的任務內容製作服裝，每集至少淘汰一人。德國名模海蒂·克隆（Heidi Klum）為該節目主持人。

妳決定去威尼斯見伯爵

妳走出馬可波羅機場，進入溫暖的義大利夜晚。一想起能見到克勞帝歐，心裡就有點小鹿亂撞。雖然妳必須承認，他不親自來接妳讓妳有點失望，但妳也做了功課，現在外面已經漆黑一片，雖然所費不貲，妳還是決定搭乘水上計程車。

從機場大廳走到碼頭時，妳喃喃咒罵著自己的行李箱，雖然它有輪子，但妳簡直就像是拖著一頭小象在後面走。由於妳早已習慣為各種狀況做好萬全準備，所以妳幾乎把所有的派對行頭和數量龐大的高跟鞋全都打包帶來了。妳跌跌撞撞地走到最近的泊船處，告訴水上計程車駕駛妳要去的地點。他漫不經心地拎起妳的小象，妳眼看著他把行李箱拋到船艙另一側，嘸了一下。妳看不見底下的水，只見漆黑一片，但妳聽得到河水拍打在岸邊的聲音，還聞到了濃濃的臭水溝味。

行李穩穩地在船上就定位，然後就該妳了。妳發現沒有任何優雅的方式能走下搖晃不停的船，所以就笨手笨腳地往下一跳。駕駛啟動引擎，船在深夜裡呼嘯而去。沒多久，妳就看出遠方模糊的線條原來是一排塔樓，燦爛的金色倒影映照在潟湖水面上。終於來到威尼斯了！雖然又累又緊張，接近島嶼時妳還是按捺不住興奮。建築物愈來愈近，妳的船像細針般輕鬆自如地在城中穿梭，隨後緩緩駛進一條運河。妳經過浮動船塢、緊連海面的階梯、神祕的石砌大門與兩側那些被陰影遮蓋的牆壁，最後來到一條較為寬闊的運河，柔和的光線照得水面波光粼粼。

「大運河。」妳的司機說，熟練地閃過一艘貢多拉船、幾艘汽艇和一輛水上巴士。妳回頭看，小船正蜿蜒地進入另一條隱密的河道。過了幾公尺，船速慢了下來，靠在一道階梯旁，駕駛快速地將纜繩套向泊船木樁綁好。他將妳的行李放在建築與河道間的狹窄碼頭，擺明了要妳準備下船。

「呃，這就是葛尼亞莊園嗎？」妳緊張地問。

他點點頭，指著妳上方的建築物。好吧……妳忍痛付了錢，一眨眼的功夫他就收好纜繩，開船離去。現在怎麼辦？

妳盯著牆壁猛看，試著找到屋主的姓名或是門牌號碼，但結果並不樂觀。這一切都很有情調，但怎麼沒人跟妳說，入夜之後來到威尼斯最需要的是一支火把呢？

妳發現建築物旁有條羊腸小徑，於是放膽走過去。小徑底端是一扇古舊的木門，門旁有個看起來像門鈴的東西。終於！妳懷著忐忑的心情摁下去。

等了很久，對講機裡總算冒出了幾句義大利文，妳興奮得口齒不清。「哈囉，是我——

哈囉，克勞帝歐，是你嗎？」

門咯啦一聲地打開，妳走進漆黑的庭院。看見另一頭有個人影，手裡把玩著鑰匙——妳終於要見到克勞帝歐本人了嗎？

出來迎接妳的是張完全陌生的臉孔，這個身材壯碩的男人表情冷漠，眼眸半瞇。看到妳的出現似乎令他有點詫異。

「你好，」妳喘著氣說，「我找克勞帝歐．拉札利。」等等，妳應該稱呼他的頭銜吧？「伯爵——我是說，我找克勞帝歐．拉札利伯爵，麻煩你，」妳鎮定下來。「我們約好的。」

那人扶著門，示意妳進去，但不打算幫妳提行李，妳也不想拖著行李爬上樓梯，於是妳將行李暫放在庭院，自行踏上階梯走進門裡去。一進屋內，妳馬上感到一股冷冰冰的莊嚴氣氛，眼前是一座以大理石砌成的弧形階梯。

「等一下。」妳的接待者說，隨即消失在屋子裡。經過另一陣令人不耐的漫長等待，妳聽到有人下樓的腳步聲。

這次，克勞帝歐真的出現了。哇，他本人比照片上看起來更帥。他沒有妳想像的那麼高，但那深色頭髮、眼睛以及下巴尖的凹痕絕對錯不了。他快速走下樓，白襯衫底下是寬闊的肩膀，挺翹的臀部就像是舞者或運動員，完美合身的長褲包裹著雙腿。

妳對他甜甜一笑，但他沒有反應，妳突然有點不安。當他開口問：「晚安，有什麼事嗎？」時，妳的不安轉變為恐懼。

「克勞帝歐！」妳支支吾吾。「是我呀，『閃亮女孩』呀！你忘了我今天要來嗎？」

他面無表情地盯著妳，他要不是世界級的演員，就是真的不知道妳是誰。「很抱歉，但我們好像不認識。」

妳慌亂起來，眼前的情況比妳最恐怖的噩夢還可怕。「嗯，不，我們是不認識，但我們已經互相聊過好幾個星期……」

「聊？恐怕這裡面有點誤會。」

「你知道的啊，在『真愛配對』交友網站。」

他蹙起雙眉。「我不明白，那是什麼？」

已經很晚了，而且妳飛了好幾個小時，大老遠來見這個苦苦懇求妳過來一趟的人。如今，他要不是在玩什麼無聊的遊戲，就是妳正進入了某個奇怪的平行時空。

「克勞帝歐，拜託，我才搞不懂。我們在網路上認識，我們聊過天，還有，呃，做過其它事……」想起那些事讓妳臉紅了，「已經好一陣子了，你邀請我來這裡見面……」

他的表情依然嚴肅冷漠，而妳的困惑已逐漸轉變為氣憤和羞愧。一個英俊的義大利伯爵追求妳，邀請妳造訪他位於威尼斯的十七世紀莊園——妳早該知道天底下沒有這麼好的事。

克勞帝歐走近妳。「這真的是誤會，我不知道妳是誰，我也沒聽過『真愛配對』，那是線上交友網站嗎？」

妳點點頭，因羞愧而無言以對。

「所以妳就這樣搭了飛機來看我？我的天，妳沒聽過騙子嗎？妳們叫做什麼？詐騙集團？有可能是別人盜用了我的照片啊！」

妳氣得將羞愧抛到腦後。「是你要我來的！你以為我怎麼拿到這個地址的？我不是笨蛋，我查過你，Google和維基百科都有你的資料，還有很多照片——你在坎城、摩納哥、科摩湖[7]，還有這個莊園，你祖先的家宅，都和你告訴過我的內容吻合，你還和我分享了好多個人祕密。」

妳靈光一閃。「等等！你小時候是不是養過一隻虎斑大貓？你叫他羅密歐，因為他想進屋裡的時候會在陽台下喵喵叫。」

克勞帝歐目瞪口呆。「羅密歐？對……對，我養過，但妳怎麼知道？」

「看吧！」妳大叫，為自己辯護。「是你告訴我的！詐騙集團才不會知道這種細節，就是這樣我才相信你是真人。而且你的拼字水準也不錯。你絕對是照片裡的那個人。我反而覺得是你在把我當傻子玩弄！」

克勞帝歐盯著妳看了好一會，之後問：「妳用什麼名字搜尋我的？」

「當然是克勞帝歐．拉札利，你不能否認那就是你本人吧！」

他的表情像是忽然想到什麼，雙唇抿緊。「啊，但我不是唯一一位克勞帝歐．拉札利，我想到一件事，可以請妳稍等一下嗎？」

他還來不及行動，又有一個人出現在樓梯口——是位眉毛濃密、拄著枴杖的老人，他倚著欄杆，賊賊地對妳笑。「**妳好，美人！**歡迎來到威尼斯，唔，妳真美——比照片裡更漂亮。」

那種穿越平行時空的感覺愈來愈強烈了，這世界是發瘋了嗎？克勞帝歐跑上樓梯，連珠砲似地用義大利文質問那老人，妳眼見他們兩人起了爭執，老人聳聳肩，雙手胡亂比畫，年輕的那位看起來非常生氣。

最後，克勞帝歐轉向妳。「謎團似乎解開了，這位是我父親，名字也叫做克勞帝歐．拉札利。我誠心誠意地向妳道歉，恐怕他對妳開了一個糟糕的玩笑。」

「我不是開玩笑的！」老克勞帝歐大叫，現在妳看出端倪了，家族遺傳的特徵很明顯——同樣的鷹鉤鼻和下巴尖上的凹痕，甚至在對彼此指指點點時會使用一樣的手勢。但克勞帝歐的父親雖然已經滿頭銀絲，頭髮仍算是濃密，但瘦削的下巴和豐厚的嘴唇已臣服於大量的皺紋之中，曾經寬闊的肩膀現也下垂了。妳不知道克勞帝歐對於一看到他父親就知道四

7 科摩湖（Lake Como）為義大利旅遊勝地，阿爾卑斯山脈冰川湖，是義大利第三大湖。

十年後自己的長相會有什麼感受，但妳有更重要的事情需要煩惱。

老人攤開手懇求。「**美人**，我們之間有種特別的情感，對吧？看到妳讓我好高興，我本來想去機場接妳，但我的關節炎又發作了。」

「你……你這是詐欺！」看到他兒子摸不著頭腦的表情，妳接著解釋，「意思是在網路上故意用假身分誤導他人，尤其是在交友網站，只為了擁有一段虛假的關係，這樣真的很低級。」

老克勞帝歐一臉無辜。「這是什麼意思？我們是真心在談心啊，妳和我，我們互相分享祕密與慾望，事情就這樣發生了。」

妳脫口而出：「你說你三十六歲！」

「喔，大家在網路上都會誇張一點，妳應該懂吧？」臭老頭斜瞥妳一眼。「畢竟，妳看起來也比妳描述的胖了幾公斤。但別擔心，我很喜歡。」他說，用手誇張地比出沙漏的形狀。

克勞帝歐簡直不敢相信，他生氣地問：「是真的嗎，爸爸？你盜用我的照片去網路交友？」

「那又怎樣？」老頭又聳聳肩。「我年輕時長得跟你一模一樣，而且我依然有顆赤子之心。而且還有熱情。」他轉向妳說。「想想我們多速配。妳就這麼討厭我的外表嗎？靈魂才是最重要的吧？」他對妳裝出可憐樣。

妳有點措手不及，但怒氣很快再度升起。「等一下，你把我大老遠騙過來，見一個錯誤的人，現在還想讓我覺得內疚？你這個愛操縱人的——」妳說不下去了，克勞帝歐及時介入。

「爸爸，就算這位年輕小姐有點天真，你的行為也太可恥了。現在，」妳瞪他一眼，他繼續說，「我認為我們應該好好招待我們的訪客，展現待客之道並且做出妥善的安排，這樣她才可能感到好受些。不如我們到客廳裡去見見其他人吧？」

雖然氣憤難平，妳還是跟著兩人走進滿是油畫與古董家具的房間。妳隱約注意到拱形窗戶外大運河的景色，但現在妳更擔心的是那些詫異地看著妳的陌生人。

克勞帝歐開始一一介紹：讓妳進門的寡言男子正在倒飲料，妳猜他應該是義大利版的管家。妳又和一位外型時髦的年輕女子握手，她叫做雅芮安娜，是克勞帝歐的表妹，也是他的私人助理之一。

讓妳印象最深刻的是那位站在精雕細琢華麗壁爐旁的年輕男子。他和克勞帝歐一樣有一頭長至領口的濃密黑髮和形狀優美的嘴唇，但色調略有不同；他的眼睛是灰色的，不是棕色，帶有雀斑的鼻子微微朝上，表情看起來像是認為世界就是一個超級大樂園。

「這是喬凡尼——我們都叫他小凡——我同父異母的弟弟。」克勞帝歐說。

「嘿，不必特別強調同父異母！很高興認識妳。」他笑著對妳伸出雙手，迷人指數迅速攀升。妳也注意到他正上下打量著妳的身材。

克勞帝歐和他的父親英文說得很好，但帶了點口音。而小凡聽起來就像道地的英國人，妳說出妳的發現。

「我母親，也就是爸爸的第三任妻子是英國人，我們都在英國念大學，但我念的是英語專校，媽媽堅持的。」

「我必須警告妳，只要跟女人有關的事，小凡百分之百遺傳了我們的父親。」克勞帝歐說，捏捏自己的鼻樑。

「好傷人啊，哥哥！」小凡假裝搥了克勞帝歐一拳，然後轉向妳。「想喝點什麼？妳看起來需要喝一杯。」

妳感激地點頭，他給了妳一杯用香檳杯盛裝，喝起來帶點草香味的爽口飲料。「我們自家葡萄園釀的普羅賽柯氣泡酒。」他解釋。妳抿了一小口，清香的氣泡刺激著妳的鼻腔，妳心情好了一些。

「威尼斯有葡萄園？」妳問，小凡笑起來。「不，它們在內陸，往北大約一小時車程的地方。我們家族在普羅賽柯酒莊大道上擁有一個小葡萄園。現在告訴我，像妳這麼可愛的女孩來這種地方做什麼？」

所有人忽然鴉雀無聲。克勞帝歐打圓場：「我們的新朋友來……度假，但旅途安排上有點閃失。」他轉頭看妳。「妳一定要住下來。」

「我不能！」

「為什麼？」小凡問，「房間很多，爸爸也喜歡有客人。」

「我喜歡，我喜歡，尤其是漂亮的美人。」老拉札利奉承地說。

「如果妳能留下來與我們共進晚餐，會是我們的榮幸。」克勞帝歐說，「但如果妳覺得不妥，我們當然會幫妳代訂飯店，由妳選擇。」

「請妳留下來吧。」小凡用嘴形說。妳舉棋不定——妳當然不能放棄住在華麗古宅的機會，對吧？但妳又看到他那頻頻對你大送秋波的父親。不管是不是華麗豪宅，妳真的想整晚忍受那色瞇瞇的老賊嗎？

如果妳決定留在豪宅，請翻至第108頁。

如果妳決定讓克勞帝歐代訂飯店，請翻至第124頁。

妳決定留在豪宅

「如果你確定這樣不會太麻煩的話……我想我就留下來吧。」妳告訴克勞帝歐。

「太好了。」他說，然後對安靜的管家說了幾句義大利文。「妳的行李會送到妳房裡。」他說。

「有沒有地方可以讓我梳洗一下？」妳問。

雅芮安娜微笑著起身，但小凡搶得先機。「我帶妳去妳的套房，」他說，「這邊請！」他伸出手臂讓妳挽住，克勞帝歐和他父親白了他一眼。他帶著妳上樓，走向昏暗的長廊。

「真高興妳決定留下來，」他說，「這裡會因此更有生氣。」他雀躍地打開長廊盡頭的門，以誇張的手勢歡迎妳進入。妳看著房內那張鋪著紫色天鵝絨床罩的四柱大床，驚訝得張口結舌。金色外框的水彩畫和鏡子在褪色的玫瑰色牆面上掛成一排，妳同時發現門後有間以粉紅色大理石砌成的浴室。

「妳會很喜歡這裡的，我保證。」小凡說，再次露出那種令人心防盡卸的微笑。他的手機響了。「討厭，我得去接這通電話，樓下見囉？」

他一離開，妳馬上在床上躺平，打量起周圍的環境，突然間冒出一絲惶恐。也許妳應該去住飯店才對。這裡完全不是妳能放鬆之處，而妳也沒有正當理由留下。清喉嚨的聲音嚇了妳一跳，妳轉頭，看到沉默先生拉著妳的小象進來。

「妳的行李，小姐。」他說。

「謝謝，你會說英文嗎？」

「當然，妳需要什麼嗎？」

妳搖搖頭，他走近些看著妳。「妳有煩惱？」

妳嘆口氣。「有一點。老實說，我不確定留下來是不是正確的選擇。」

「來，」他說著，同時大步走向窗戶，然後用華麗的手勢拉開窗簾。妳跟過去，尖塔教堂被許多莊園豪宅包圍的美麗夜景使妳驚艷，其中一戶的磚牆上有著古老的水漬，另一戶則以燦爛奪目的馬賽克磁磚鑲飾。教堂的大鐘響了，因為水的緣故，鐘聲聽起來格外柔和。

「妳來是為了這些，不是嗎？」他說。

「我從沒看過這麼美的城市。」

「但我了解妳為什麼會覺得惶恐。」他的聲音低沉，帶點粗啞，和他嚴肅的表情有些不搭。

「是嗎？」

他比畫著房間內部。「如果並非生來如此，這種富裕的生活會讓人不知所措，但我相信妳會習慣的。」

妳嫣然一笑。

「現在，我得去準備晚餐了。」

「你就是廚師？」

「我有很多身分，小姐，」他說，「動作快點喔！主人也許會等妳，但食物不會。」

說完後，他靜悄悄地離開房間。妳匆匆走進浴室，開始潑水洗臉。

妳下樓走去餐廳時，那一家人已經就座。小凡和克勞帝歐一看妳走進來馬上站起身。沉默先生安排妳坐在餐桌前端的位子（幸好遠離了老拉札利），倒了杯酒給妳。妳啜飲一口濃郁的勃艮地白酒時，沉默先生在妳面前放下一道菜。

「Polenta e schie，」克勞帝歐說，「幼蝦佐玉米粥，本地名菜。」

妳嘗了一口，帶奶油香的溫暖玉米粥和略帶蒜味的脆蝦完美結合。「真好吃。」

「這可不是桌上唯一的美味佳餚。」老人竊笑著說。

「爸爸。」克勞帝歐警告他。

他父親甩甩手不理他，然後舉起酒杯。「敬新朋友！」

大家都碰了酒杯，妳也開始放鬆下來。妳原以為今晚的氣氛會很尷尬，但在對話中妳始終保持冷靜，輕鬆暢談，從政治聊到流行文化。小凡妙語如珠，他的哥哥發言則比較謹慎。只有雅芮安娜很少開口，但妳不覺得她討厭妳，她三不五時會對妳淺淺一笑。沉默先生收走餐盤，給妳倒了杯格拉巴酒[8]，雅芮安娜向大家告退，說今晚想早點睡。

「妳來這裡的真正目的是什麼？」她一離開餐廳，小凡就馬上問妳。「我哥哥不可能把像妳這樣的美人藏起來這麼久，而且爸爸整晚都在對妳眉目傳情。」

妳看著克勞帝歐，他聳聳肩。妳喝一口酒，嚥下那如燃燒絲綢的濃烈液體給自己壯膽。小凡遲早都會發現的。妳將整個悲慘的故事和盤托出，以為他會嘲笑妳或被妳的天真嚇到，但他只是靜靜聆聽，偶爾咒罵兩句他的父親。

「爸爸！」他說，「你真是無可救藥。」

「而我也是個大笨蛋。」妳說。

「胡說！」老人吼著。「妳唯一的罪過就是太浪漫，男人應該欣賞這樣的女人。」

「我和爸爸看法相同，」小凡說，「即使他是個老色鬼。現在也很少人願意依照自己的慾望行事了。」你們視線相對，妳的臉一紅。妳抬頭看到克勞帝歐正注視著妳，但妳看不出他在想什麼。

---

8 格拉巴酒（Grappa），用酒渣釀製的一種白蘭地酒。

身為罪魁禍首的老色鬼邊打呵欠邊起身。「小姐，但願我能道歉，但我不能。如果我沒有約妳來這裡，那我們就得不到妳的陪伴了。」他走到妳身旁，親吻妳的手，妳強忍著沒有皺眉。「現在，我得先行告退。」

「我們去圖書室吧？」克勞帝歐問，沉默先生再次為妳倒酒。妳和兩兄弟說笑了一會，克勞帝歐指向房間角落的西洋棋盤。「想不想下棋？」

妳搖搖頭，抑下一個呵欠。酒精、長途旅行和今日的驚嚇讓妳撐不下去了。「也許下次吧。」妳說。

「我跟你下吧，哥哥，」小凡說，「你欠我一盤。」

妳又打呵欠，是時候該睡覺了。小凡從椅子上跳起來，熱情地親吻妳的雙頰；他哥哥牽起妳的手，以嘴唇輕輕刷過妳的手背，令妳全身輕顫。

妳回房時已經過了午夜。妳很快地沖了澡，穿上床邊為妳準備好的絲綢睡袍，接著爬上床去。床單非常細緻舒適，幾乎稱得上柔滑。妳花了好些時間才找到床邊古董檯燈的開關。房間終於暗了下來，妳躺在床上回想今晚的一切。格拉巴酒的酒勁使妳略有醉意，但荒謬的夜晚、妳身處的奢華環境和兩個英俊至極的兄弟又讓妳興奮難眠。妳逐漸睡去，但仍可清楚意識到肌膚在舒適絲綢和涼爽床單下的摩擦。

妳聽到輕輕的敲門聲。妳手忙腳亂地想找到檯燈開關，但找不到。妳靠著灑進房裡的月光踮起腳尖走到門口，小心不要打翻任何東西。

「是誰？」

「是我。」

「你是誰？」

一陣靜默。是小凡，還是克勞帝歐？妳的手伸向門把，又縮回來。妳真的要讓一個剛認識的男人進房嗎？那樣很魯莽——可能算得上瘋狂，不過話說回來……

如果妳想開門，請翻至第114頁。

如果妳不想開門，請翻至第122頁。

妳決定開門

「是誰？」妳還來不及說完，一雙強壯溫暖的手就牢牢握住了妳，將妳的手拉到他的唇邊親吻。

月亮被烏雲遮住，妳只看得到一個又高又暗的影子。一雙強壯的臂膀輕柔地擁著妳，妳不禁讓自己放鬆下來，靠向那片寬闊的胸膛。妳屏住呼吸，妳知道妳應該離開，或者至少弄清楚妳現在依偎著誰，但妳在等待接下來發生的事。他的唇瓣拂過妳的太陽穴，然後是妳的耳朵，妳打了個哆嗦，乳尖堅挺地抵著神祕愛慕者的胸膛。

妳張口想說些什麼的同時，他的雙唇從妳耳畔移到妳頰邊——妳進退兩難，又不願破壞這奇幻的一刻。接著那對溫暖的嘴唇覆住妳，妳發現自己正在親吻妳的午夜訪客，直到腦子變成一團漿糊。房裡只聽得到妳急速的喘息聲。妳害怕任何話語都會使這一刻的魔法消失，最後只剩自己傻傻置身於有著南瓜、一籠老鼠和一隻蟾蜍的骯髒汽車旅館之中。

妳腳步有些不穩，妳的愛慕者立即抱起妳，將妳溫柔地放在床上。他沒有跟著妳爬上床，讓妳鬆了口氣——同時也有點失望。除了在妳上方徘徊、稍微變深的身影外，妳什麼也看不清楚。妳的睡袍開了條縫，一隻手指在妳身上游移。妳扭動身子，每吋肌膚都被喚醒了，渴望著更多。他接下來會碰觸妳的哪些部位，又會親吻妳的什麼地方呢？

在一段長到幾近折磨的停頓之後，妳感覺到吹拂在小腹上的呼吸。他舔弄妳的肚臍周圍。妳在床單上呻吟扭動。某個人的嘴挑逗似地親吻著妳一側胸部的下緣。此時的妳已慾火焚身，本來還有些擔心他的身分，現在反而滿心期待接下來將要發生的事。而他也未讓妳失望：一陣氣息吹拂過妳的大腿，妳張開雙腿無聲地迎接他。這一切正以慢動作在月光下進行，妳雙腿間的溫暖呼吸，大膽的挑逗，妳的身體在大床上蜷縮又展開，私處漸漸變得溫熱，急於被碰觸。

溫暖扁平的舌頭大膽地掠過妳的祕境，毫不費力地舔開妳的蜜唇，使妳輕叫出聲。他的舌頭靜止，然後稍微退出，妳呢喃呼喊：「不要停！」接著那張神祕的嘴再次回到妳最私密的地方，緩慢的舔弄使妳發狂，他吸吮著妳的唇瓣，沿著小穴滑進抽出，但完全沒有碰到妳的小蒂。時間就在舌尖的探索與舔弄中過去，濕潤的交集聲使親密感更加強烈。

你們身體的其他部位並未相互碰觸，但那雙溫暖的手溫柔地滑到妳的臀瓣下方，將妳的臀部稍稍抬起。他的舌頭繼續滑進滑出，探入的深度使妳驚喜，那條舌頭豐厚、溫暖又大膽，在小穴內溫柔游動。妳掐著自己的雙峰，拇指揉搓著堅挺的乳尖，依然說不出話來，那張嘴使妳著魔，被微光隱隱照亮的臉貼著妳顫動的小腹，妳柔軟的大腿內側隱約感覺得到鬍碴的刺激。

歡愉來得很激烈，但並不急切，且有些不真實。那張放肆的嘴讚頌著妳最私密的部位，帶來興奮難耐的快感，妳希望它永遠不要停止。

他的舌頭終於不情願地退出妳的蜜穴，懶懶地往上舔，停在妳顫動且極度敏感的小蒂，軟硬觸感的相會使妳再次哭喊出聲。他開始緩緩繞圈，時而用力頂觸，時而大幅舔拭。快感開始在妳體內蔓延，妳全身繃得死緊。但他的舌頭始終不疾不徐地挑弄，不斷盤旋又抽回，妳決定投降，讓他主導一切。

妳的小穴與周圍的肌肉愈來愈緊繃，他神奇的嘴再次在妳體內以緩慢的節奏衝刺，妳幾乎嗚咽出聲，如果他允許妳高潮，絕對會驚天動地，妳無法控制自己，發出無意識的呻吟，頭在枕頭上左右甩動。

他的舌頭終於舔回妳腫脹的小蒂，力道更大，速度更快，妳感覺到高潮來襲，使出所有力氣放聲狂叫，遲來已久的高潮在妳全身奔竄，妳的身軀因狂喜而扭曲。妳在餘韻中沉浮，從私處放射出的悸動流竄全身，使妳像隻小貓般虛弱。

妳依稀感到他的嘴溫柔地吻著妳的大腿，接著是妳的小腹，隨後抽身離開。「等等，怎麼……」妳喃喃道，但唯一的回應只是門輕輕關上的聲音。

剛剛發生了什麼事？妳試著解開謎團，但妳抵擋不住旅行、驚嚇、烈酒和仍在下腹翻滾的愉悅狂潮。妳全身無力，一邊試著思索出神祕性愛專家的真面目，一邊逐漸進入夢鄉。

妳像嬰孩一樣安穩地睡了一晚，翌晨，下樓吃早餐，前晚發生的事依然困擾著妳。

妳看到克勞帝歐一個人坐在餐廳裡，翻閱著一些文件。

「睡得怎麼樣？」他問妳。

「好極了，」妳說，對他微笑。「你呢？」

他用手搓搓臉。「我得承認，我睡得不太好。」

妳臉色刷白。他是什麼意思？唯一的解釋就是昨晚進妳房間的不是他，那一定是他弟弟。妳不知道該覺得放心還是失望。

說曹操，曹操就到。「早安呀。」小凡開心地打招呼。妳盯著他猛瞧，希望他給妳一個提示的眼神。

「經過昨晚之後，你怎麼可能精神還那麼好？」克勞帝歐嘟囔。

妳瑟縮了一下，難道他知道他弟弟去過妳房間？他怎麼知道？喔，天啊……但難怪克勞帝歐今早有點暴躁。

他轉向妳。「都是妳的錯，妳知道嗎？」妳張開口，不知道該怎麼回答，但他繼續說。

「如果妳同意跟我下棋，我就不會跟我弟弟一直奮戰到天亮。」

小凡聳聳肩。「我該說什麼呢？我們實力確實相當嘛。」

等一下。妳看著他們。「你是說……你們整晚一起下棋？嗯……中間沒有休息嗎？」

克勞帝歐嘆氣。「很不幸的，沒有。」

小凡不解地看著妳。「妳沒事吧？妳看起來……不太舒服。」

如果不是小凡也不是克勞帝歐，那只剩下……喔，不會吧，老克勞帝歐。但如果是他，妳一定會有所察覺吧？不過話又說回來……當時很暗。

「我……我得走了，」妳說，「我犯了很嚴重的大錯。」

「又錯了？」小凡說。

「什麼意思？」克勞帝歐問。

「我得離開，馬上走。」

「不會吧？」

「拜託，」妳說，「可以幫我叫一輛水上計程車嗎？」

「這——」小凡開口。

「我不想多談。」妳說著，同時衝出餐廳。妳跑上樓，把小象收拾好，一路拖到樓梯口。看到樓下走廊的人時，妳僵住了。

「早安，**美人**，」老拉札利對著妳笑。「妳睡得好嗎？」

「你覺得我睡得好嗎？」妳凶他。

他眨眨眼，有點吃驚。「我想我昨晚沒有打擾到妳吧？」

「『打擾我』？這是你的說辭？拉札利伯爵，你昨晚的行為不只是打擾到我。」

「但我以為妳已經原諒……我們在網路上的小誤會了？」

「你占了我便宜！」

「美人，妳好生氣。我必須道歉。我昨晚已經盡可能保持安靜了。」他拍拍肚子。「但我整晚都因為消化不良而失眠，我實在不能再貪吃美食了。幸好我兩個兒子都醒著，可以陪我。」

妳仔細盯著他，他的臉色看起來的確是有點發青。「所以你昨晚沒有來敲我的門？」

他咯咯笑。「哎呀，我沒力氣做那種事。」

克勞帝歐從餐廳走出來。「我們準備了一艘船，可以帶妳去任何妳想去的地方。如果我們有什麼地方令妳感到不愉快，容我向妳道歉。再見。」他禮貌地點頭，然後大步離開。沒有看到小凡的身影。

妳仍然一頭霧水，懷疑自己是否成為了某個超級無聊玩笑的對象。妳躲開老伯爵的吻別，喃喃地道謝，然後拉著行李走進庭院，跨過通往運河的門。沉默先生在外面等妳，他一看到妳，嚴肅的表情馬上換成微笑。

妳恍然大悟。「是你！」

當然了！一定是沉默先生。「昨晚，是你！」妳承認自己其實也相當主動，但至少他也應該讓妳知道他的身分。

「當然是我，」他皺著眉說，「妳不知道嗎？」

「當時很暗……我……」他跟拉札利兄弟一樣高，身材一樣好，甚至更好。「但……我根本不認識你！」

他偏著頭。「妳只需要知道的是，我為拉札利家族工作五年了，還沒結婚，喜歡繪畫與閱讀，鍾愛烹飪。」

他的廚藝的確高超，昨晚的晚宴毫不馬虎。而那並不是他唯一拿手的事，妳一想起昨晚的點點滴滴就開始臉紅。

你們互相凝視了好久，兩人都不作聲。「所以現在呢？」妳問。

他嘴角微揚。「妳自己決定。」

妳本來打算搭下一班飛機回家，但妳看著白天的威尼斯，這是妳第一次有空好好地欣賞這個地方。這個被運河、石橋和碼頭圍繞，沒有街道，漂浮在海中的城市有種特殊魔力。永遠不會過時，又有著變化萬千的景色，難怪大家都交口稱讚。妳人都來了，不逛一下也太可惜了。「我想我最好先找間飯店。」

「我知道妳可以住哪裡，雖然不像這兒那麼豪華，但很平實，是想要認真探索威尼斯的最佳去處。」

「認真探索威尼斯？」妳忍不住微笑。

「那就要看妳了，小姐。如果妳願意，也許我可以休個假，然後我們可以繼續昨晚未完成的事？」

他牽起妳的手，露出一個讓他不再一臉酷相的微笑，妳忽然又樂觀了起來。妳身在世上最美的城市，一個毋庸置疑既性感又迷人，技巧又非常非常純熟的男人看來極度想取悅妳。誰知道呢？妳的威尼斯探險大有機會獲得一個美滿結局，即使跟妳原先想像的不太一樣。

妳握緊他的手。「我們先從交換彼此的名字開始吧？」

（全書完）

妳決定不開門

經過難熬的一晚，妳決定最好還是去住飯店，妳不想整個晚上都動不動就被走廊上的聲響驚醒。

妳看到克勞帝歐在餐廳喝咖啡。就算昨晚是他造訪了妳的房間，從他的表情中也看不出來。他用往常的嚴肅態度跟妳打招呼，妳解釋雖然非常感激他的招待，但妳還是決定搬去別的地方住。

他立刻堅持要妳去住丹尼爾利飯店專門為他家族保留的商務套房，並拒絕了妳的推辭。「妳在威尼斯的期間，一定要好好地遊覽，我堅持。雅芮安娜會去飯店找妳，提供一些遊玩的行程建議。」

他安排飯店小艇來接妳，在大運河上的航程風景秀麗而短暫。進入聖馬可港後，妳便抵達那棟經典的深紅色飯店，也是未來幾個晚上妳要下榻的地方。妳一走進套房，就驚訝於自己的好運氣，它比妳在莊園住的房間更加奢華千萬倍。妳打開行李，環顧新環境：浴室比一般的臥房還要寬廣，浴缸大得可以當床睡。妳走到陽台上，看著船隻在泛著銀色光澤的河上來回運行。電話響了，看來那位效率極佳的雅芮安娜已經在樓下等著妳。

請翻至第132頁。

妳決定去住飯店

「也許我最好去住飯店，一般的就可以了。」

「倒也不必，我們在丹尼爾利飯店有為來訪客人保留的房間，公司會付錢，」克勞帝歐堅定地說，「雅芮安娜，請妳打電話問飯店，我們為訪客預留的房間是否空著？」

妳開口想表示反對，但克勞帝歐舉手阻止了妳。雅芮安娜一邊起身往門外走，一邊按著手機撥號。幾分鐘後她就回來了。「都辦好了，」她說，「他們已經派小艇過來接了，二十分鐘就會到。妳有行李嗎？」

「有，還在樓下。」妳說。與今晚受到的壓力與驚嚇相比，再想想安靜的飯店房間，妳突然覺得很期待。

小凡又幫妳倒了杯普羅賽柯白酒，妳還沒喝完，飯店的船就到了。妳向大家禮貌地點頭道別，往門邊挪動腳步。老克勞帝歐伸長手臂，調皮地噘著嘴。「怎麼，不來個晚安吻？」

妳忍耐著沒對他豎起中指，匆忙離開。克勞帝歐和管家跟在妳身後，同時還有小凡哈哈大笑的聲音。克勞帝歐溫暖粗壯的手扶著妳的手肘，陪妳走下階梯往庭院而去。沉默先生不費吹灰之力地拿起妳的行李，彷彿裡面的華麗服飾都不存在，只裝了羽毛似地。妳嘆口氣，現在沒什麼機會穿那些美美的衣服了。

帶妳上船之前，克勞帝歐看著妳的眼睛，再次道歉。「真的很對不起，我誠心誠意向妳道歉。」

「我這麼衝動行事也有錯，但當時只是覺得這樣做似乎很浪漫，的確是太誇張了……」妳的聲音愈來愈小，不敢相信自己怎麼會這麼蠢。

「我們家會補償妳的舟車勞頓和花費，」克勞帝歐繼續說，「雅芮安娜明天會去飯店，給妳一些遊玩的行程建議，至少這樣妳還可以好好享受威尼斯。」

出乎妳意料的是，他傾身向前親吻妳的雙頰，接著牽起妳上船。

小船載著妳一路開進大運河，兩岸的燈光將著名地標一一照亮——妳認出旅遊書上寫的安康聖母教堂的半圓屋頂，以及海關大樓。接著妳往左看，經過了聖馬可廣場和總督宮，還有，那不就是莫札特歌劇中唐．喬凡尼用來幽會的嘆息橋嗎？它直接通往一座有著拱形尖頂窗戶的巨大深紅色建築，也就是妳要下榻的飯店，外面停泊著一排貢多拉，即使時間已經很晚了，還有三三兩兩的群眾在碼頭上散步。

妳掐了自己一下。妳不可能要住在這麼美的地方吧！小艇開進狹窄的運河，在邊門上綁好船身，穿著制服的服務生集結過來取走妳的行李，同時扶妳下船。他們帶妳走進拱形大廳，繽紛的顏色與華麗的裝潢讓妳以為自己正在作夢。不管妳往哪個方向看，眼裡都只有古色古香的波斯地毯、如花式蛋糕的吊燈和盛大美麗的花藝裝飾。

妳被帶進一座飾有紅絲絨牆面的老式電梯，接著走過蜿蜒曲折但富麗堂皇的客廳與走廊，妳不知道自己還能不能認得回頭路。妳最後進入了妳的套房，這就是妳度過今天這個瘋狂夜晚的避難所，只是避難所房裡的大床竟然有以繡帷軟墊裝飾的床頭板，枕頭上還放著手工巧克力。

這張床若是為了性愛而打造的該有多好……但這個選項已經隨風而逝，一併帶走了妳的尊嚴。妳嘆氣，脫下旅遊的裝扮，穿上妳在房裡找到的華麗毛巾布浴袍，接著開始四處欣賞。妳找到藏在仿中古時期衣櫃裡的小冰箱，取出一小瓶香檳，走回浴室裡去。真是令人滿意，就連浴室的牆上也掛著畫作，還有一張奢華的扶手椅。鑲著櫻桃木的浴缸容得下兩個人，還有多到用不完的各式各樣衛浴備品。

這正是妳現在需要的。妳開始放洗澡水，將看得到的所有芳香沐浴露與精油倒進熱水中，然後爬進浴缸，躺在霧氣蒸騰的香氣中享受，氣泡香檳就在手邊。在震驚地發現自己原來是被騙來和一個錯誤的男人見面之後，這些是妳應得的。

整件事對妳來說依然難以置信，妳擠著海綿讓水從妳的乳峰之間流下。妳想起自己對與克勞帝歐共享魚水之歡的幻想……在這樣浪漫的環境下，他偷偷從門外進來，身上只圍著一條浴巾。接著，那條浴巾落到地上，他俯身迎向妳……嗯。妳用海綿擦洗著雙乳，感到乳尖變得硬挺，想像他那深棕色的深邃眼神凝視著妳……這時妳腦中忽然閃過另一雙灰色的眼睛。

嘿，這是怎麼回事？克勞帝歐的性感絕對足以讓金屬融化，但妳轉念一想，他的弟弟小凡也很迷人。既然妳打算自己動手享受一場，誰是妳這場春夢的男伴會不會很重要？

如果妳決定選克勞帝歐當夢中情人，請翻至第128頁。

如果妳選擇與小凡共享一段大膽刺激的幻想，請翻至第130頁。

與克勞帝歐的狂野幻想

妳往後躺，想像克勞帝歐和妳一起泡在浴缸裡，妳往後靠著他結實的胸膛。妳將海綿沾水，懸在雙乳上方，然後擠壓，讓溫熱的水和芳香的泡沫像瀑布般落在妳的肌膚上。妳想像著克勞帝歐那雙手背上有著深色汗毛，曬成健康的古銅色、強壯又有力的手。

妳想像他的巧手拿著海綿，在妳胸前與乳尖上游移，輪流捧起兩邊乳房輕輕揉捏。然後妳移動海綿，想像那是克勞帝歐的手，慢慢往下……混了精油的熱水感覺如此舒服，和已進入水下，正在碰觸妳小腹的海綿一樣。妳抬起一條腿跨在浴缸邊，接著拿起高級香皂將海綿搓到起泡。妳腦中仍想像著克勞帝歐的手，將海綿放在妳的私處，慢慢地轉動揉搓，大腿張得更開。

妳慵懶又享受地將一隻手指放進腿間，輕柔地觸摸妳的小蒂。妳仍想像著克勞帝歐靈活的手指，現在正撥開妳蜜唇的人就是他，靈巧地深入推進，妳忍不住呻吟出聲，溫熱的水浸潤著妳本身的濡濕與火熱。

妳在絲滑芳香的洗澡水裡蠕動，好整以暇地徹底探索，最後摸弄起自己的小蒂。在妳腦中，來回撫摸著妳的人是克勞帝歐，他用指尖在妳的小蒂上施力，力道輕重拿捏完美——不會太用力，但也不會太過猶豫。妳的頭往後仰，想像自己正抵著他的鎖骨，背上感受到他的溫暖。

妳的呼吸逐漸變成喘息，來自小蒂的刺激為妳的蜜穴帶來熟悉的快感。妳將拇指放在入口，想像正要滑進妳體內的是克勞帝歐的手指。他輕聲地鼓勵著妳，使妳的私處開始悸動，接著，一波強烈、愉悅的高潮襲來，妳顫抖呻吟，水花四濺。

妳的身體美妙地放鬆下來，累積一整天的壓力退去，而妳繼續懶洋洋地躺在這間童話故事般美妙飯店的華麗浴缸裡，手邊還有杯氣泡酒。妳嘆口氣，妳知道剛才的一切只是幻想，但美夢已成真實。誰知道在這麼夢幻的地方還能實現些什麼樣的美夢呢？在威尼斯多留幾天絕對是值得的。

請翻至第132頁。

與小凡的調情幻想

妳踏出浴缸，裹上觸感如絲絨般的浴袍，然後在筆電上搜尋小凡。螢幕上跳出一排照片縮圖，妳一張張點開來看。有一張是他和英國皇族哈利王子一起打馬球，另一張則是在南非的大橋上準備進行高空彈跳，每張照片裡他都笑得露出一口白牙，曬得黝黑健美——顯然他有點愛玩，簡直是國際級的玩家。有張照片挺有意思——是他和他母親一起去看溫布頓球賽。妳仔細端詳他們；她很美，但外表弱不禁風又略顯僵硬，像是節食多年與打了太多肉毒桿菌的結果。

妳繼續看照片，如果身邊圍繞著女人和緋聞不斷也算單身的話，那小凡絕對是單身。聽起來他不是個好男孩，但可能這些對他而言都還不夠刺激。妳相信他應該喜歡來點狂野的。

華麗浴袍下的妳全身赤裸，妳打開窗戶走到狹小但可欣賞河景的陽台。碼頭石道上仍有遊客逗留，貢多拉船夫在夜空中撐著船，但販賣紀念品的攤位已經紛紛關門。

妳想像小凡就在套房裡，站在妳身後，雙手環抱妳的腰際。妳將手伸進浴袍，撫摸自己的胸部。氣溫很舒適，並且意外地溫暖，不遠的樓下有陌生人漫步，妳則在上方撫慰自己，就像要打破某種調皮的禁忌。

妳任由想像力奔馳，似乎感到小凡就在身後，懷裡摟著站在陽台上的妳，掀起妳的浴袍，掏出他的勃起，從後方頂著妳的腿。要是有人往上看，就會看到一個高大男子從後面抱著一個女人，但從正面看到的妳衣著整齊。

妳望著映在水面上的燈火，一手小心地游移到浴袍兩側，微微張開雙腿，想像小凡溫熱光滑的勃起推擠著妳。妳的手伸進兩腿之間，限制級的幻想讓妳極度溼潤，一邊喘息著，一邊用手指插進自己的蜜穴。

妳不敢相信，妳幾乎是在大庭廣眾之下這樣愛撫自己，這種感覺狂野又令人興奮。但妳不想在眾目睽睽之下達到高潮，還不想。於是妳走回房間，想像小凡將妳拉向那張大床，他的硬挺因飢渴而昂揚聳立。妳讓自己躺上床，抬高雙腿，用手指撫弄自己，想像著他和妳在床上翻雲覆雨。妳幻想自己跨坐在他的身上，貼著他的勃起，終於滿足地將他納入體內。妳開始感到短促卻強烈的高潮爆發，因釋放的愉悅而呻吟。哇，妳比妳自己想像的更緊繃，妳想，同時呼吸隨之開始減緩。奇怪的是，快速又狂野的高潮正是妳現在所想要的。妳對自己微笑，對此次旅程感到更樂觀了。妳認為自己已做好明天面對威尼斯的萬全準備，雖然再次見到小凡時絕對會臉紅，但又有點希望夢想成真……

請翻至第132頁。

妳決定留在威尼斯

水面上瀰漫著珠光與淡黃色的濃霧，潟湖邊的美景讓妳想在陽台多待一會兒。但雅芮安娜已經在飯店樓下的氣派大廳等著妳。她穿著一身無懈可擊的上班套裝搭配圍巾，喝著甘菊茶，還幫妳點了卡布奇諾。妳仍忍耐著不要對四周環境驚嘆連連——妳很確定隔壁那桌坐的是一位小有名氣的電影明星，但妳不想明目張膽地盯著人家看。

「我幫妳規畫了幾個遊覽行程。」雅芮安娜說，同時打開資料夾，裡面有市區地圖、交通卡和幾張博物館通行證。「這是妳第一次來威尼斯，最好是從聖馬可廣場和總督宮開始，明天再去參觀藝廊和島嶼——我很樂意當妳的導遊。或者妳想去尼斯玩玩？克勞帝歐要去那裡開會，會花上一整天的時間，所以他會搭公司的飛機去。」

妳覺得不解。「為什麼去尼斯？我是說，聽起來很不錯，但我在那裡能做什麼？」

「克勞帝歐有個朋友，是城外山區一間香水博物館的總監。他想也許妳可以去上個課，香水師會幫妳調出屬於妳個人的香味。大概花幾個小時的時間，但他們會提供午餐與香檳。這不失為寵愛自己的好方法，而且也很有趣。」

她停下來，低頭看看資料夾。「我們也想邀請妳參加私人的歌劇晚會，在某棟豪宅裡演出，就是後天晚上。妳一定要來，很好玩的！」

她換下專業表情，興致勃勃地靠向妳。「那是家族傳統，屬於我們自己的小小嘉年華會。我們會穿上戲服，戴著面具，提早為隨著冬末嘉年華而來的大型派對和舞會做準備。歌劇是嘉年華會的重要環節，歌手和樂師會在豪宅裡表演，有喝不完的香檳，之後大家一起跳舞跳到天亮。棒極了。這樣一來，在冬季來臨前，我們可以讓自己先淺嘗嘉年華會的滋味。」

嗯，妳帶了最愛的黑色小洋裝，還有一件適合酒會或晚宴的紅色雪紡紗裙，但妳不確定適不適合穿去化裝歌劇舞會。「我不確定有沒有適合的衣服可以穿。」

「這個簡單，城裡有幾間服裝出租店，我帶妳去。妳會需要面具，也許還要一頂假髮，如果妳喜歡的話。但要依妳選的服裝而定。我們很認真的，會請專業人士來幫我們弄妝髮，有必要的話還會聘請珠寶商來。」

她拍拍桌上的資料夾。「接下來的兩天妳想做什麼？我隨時為妳服務。」

即使在克勞帝歐雙包案之後，妳仍然決定要留下來多玩幾天，妳還滿喜歡這種有所選擇的感覺。妳應該專心欣賞威尼斯的夢幻風景嗎？

或者，既然有機會，為何不去一趟尼斯，看看蔚藍海岸（還有克勞帝歐）呢？妳挺喜歡香水課程的點子。妳一向喜愛迷人的香水，這場體驗一定會讓妳大開眼界。

如果妳決定探索威尼斯，請翻至第135頁。

如果妳選擇和克勞帝歐飛去尼斯，請翻至第152頁。

妳決定在威尼斯逛一逛

這是美好的一天，早秋的天氣舒爽宜人，陽光穿過棉花般低低堆積的雲朵，照亮那些淡紅與土黃色的建築。妳決定自己隨意散個步，妳相信雅芮安娜有比照顧妳更重要的事要做。妳繞過在聖馬可廣場餵鴿子的人，以及排隊進入安康聖母教堂和總督宮的人群，外觀有粉紅色花紋裝飾的精緻總督宮總讓妳想到土耳其軟糖。妳現在雖然只是四處走走，但還是不斷迷路，妳一直按著地圖找路，但總是走進死巷和小河，只好重新折返。

妳來訪時本地正好在舉行威尼斯雙年展，這是一場國際級的大型藝術集會。通常妳對藝術不太感興趣，但有許多有趣又特別的東西可看，通常是奇特的組合作品，妳也覺得走進文藝復興時期的教堂，對照欣賞那些角度犀利的現代金屬雕塑，和存在幾世紀之久的矮胖天使與悲情聖人神像很好玩。

妳在大運河的南岸，走在有Zattere之稱的寬廣石造碼頭邊，這裡遊客較少，聚集的多半是學生。妳在教堂外的階梯坐下，看著像牧羊犬般的小小拖拉艇在河道上拉著一艘巨大的郵輪經過。

陽光暖和舒適地照在臉上，妳肆無忌憚地曬著太陽，一個高大年輕男子從教堂走出來時幾乎跌在妳身上。

「**對不起，小姐，我真的很抱歉！**」他說。聽起來有點美國口音？

「沒關係。」妳回答。陽光照著妳的眼睛，妳眨眨眼，背光的他看起來只是個影子，但等他走近之後，妳又眨了眨眼。他是妳看過最迷人的男人之一。就像威尼斯一樣，東西方所有最迷人的元素都寫在他臉上。他的眼睛和兩道劍眉與顴骨一樣斜挑入鬢，整齊到可以用來畫線，又亮又長的黑髮塞在耳後，鬆鬆地披在肩上。

他很高，身材非常瘦削，長手長腳的骨架使他移動時看來很性感。他微笑著伸出好看的大手，手腕很突出，手指修長。

「妳會說英文！」他說，優雅地蹲下身子坐到妳身邊。「對不起，裡面黑漆漆的，我走出來時一下子什麼都看不見，我可以加入妳嗎？可以叫我小周。」

你們花了幾分鐘時間交換基本資料。他是來這教堂裡參展的藝術家。他的母親是中國人，父親是伊朗人，他在柏克萊大學讀藝術，現居住於舊金山。

他對威尼斯很熟，能有個人讓妳詢問關於這地方的問題真是太好了，他確實比圓滑精練的雅芮安娜親切些。他告訴妳哪些小酒吧和糕餅店可以吃到當地人的食物，以及如何看懂水上交通地圖，不然可能需要拿到麻省理工學院的學位才有辦法解讀。

「威尼斯有任何單純的一般建築嗎？」妳問他，他笑了。

「這兒有點像是生活博物館。可惜，很多當地人都住不起。在這裡的餐館和商店工作的人，多數都住在內陸，每天通勤到威尼斯上班。但它依舊是世上最美麗也最浪漫的城市。」他用那雙鳳眼看著妳。「說到浪漫，妳介意我問妳是否一個人來嗎？還是妳的住處有個猛男正等著妳？」

妳立即想起那齣自導自演的鬧劇，不禁垂頭喪氣。「喔，不，我踩到妳的痛處了，對嗎？」小周說。「對不起，我不是要刺探隱私，我只是想帶妳去看看我的展覽作品，也許之後還可以一起去喝一杯，但我不想預先作出任何假設。」

「說來話長，而且很可笑，但簡單來說，我是一個人沒錯，雖然當初不是這麼打算的。」妳嘆口氣。

「這樣的話，我帶妳去看看我的展覽如何？我保證妳不需要連連發出讚嘆聲。如果妳不喜歡，隨時可以技巧性地假裝咳嗽。」

「有何不可呢？反正我也沒有別的計畫。」妳暗自希望他的作品不是那種前衛藝術，例如隨意懸掛在果凍裡的絨毛玩具，或是塞在大畫框裡的故障曬衣夾，底下還標示著「十三號家庭狂想曲」之類。但妳看了一整天的文藝復興時期天使雕像，妳不打算拒絕長得比它們更好看的男人對妳的邀約。

妳任他扶妳起身，帶妳走進教堂。剛開始時眼前是一片漆黑，什麼都看不見，小周解釋因為有些作品是以影片呈現，所以展覽空間必須保持黑暗。就在此時，妳面前的地板忽然有著光線舞動，像是色彩繽紛的蝴蝶。妳告訴他，妳覺得很美。

你們從教堂中殿走向祭壇，這裡同時也是主展場。不同尺寸的畫作掛在固定的金屬支架，或從天花板延伸下來的鍊子上，有些正在旋轉，展現出畫作的正反兩面。聚光燈打在畫像上，如夢似幻。飛過深海的海鷗使鯨魚顯得渺小，站立的馬兒從背後俯瞰著坐在板凳上看報紙的老人，孩童在筆記型電腦上玩著撲克牌接龍，和背景的銀河融為一體。

「它們好美！」妳輕聲讚嘆，他輕握妳一下表示謝意，修長的手指滑過妳肩膀的肌膚。

「我要給妳看我最愛的一幅，」他說，「但我們得先坐下來。」

妳坐在祭壇的階梯上，好奇不已。小周要妳抬起頭。投射在教堂圓頂上方的，是一部雲朵飄在天上的影片，看起來就像整個屋頂都被開罐器打開了一樣。

妳看著雲變成魚在湛藍的水中游動，海草在無止盡的渦流中搖曳。爬過圓頂的海星慢慢轉變成點點繁星，愈來愈深的水則化為午夜藍天，接著，星星漸漸消逝，天空變成粉紅色，然後又開始重複播放。它帶給妳一種奇妙的感動，妳轉頭對小周說妳非常喜歡，眼眶滿是淚水。

「嘿，嘿，怎麼啦？」他說，關懷的聲音使妳卸下心防。

「一切都糟透了。我是個笨蛋。」妳擦去眼淚，氣自己讓前晚的震撼遭遇影響自己那麼深。

「男友問題？」小周歪著頭問。

「比較像是『想像出來』的男友問題。」

小周握住妳的手。「聽我說，我不知道妳到底為了什麼不開心，也不知道事情有多嚴重，但我知道有樣東西是解決世上所有問題的萬靈丹。」

「包括讓自己像笨蛋一樣出醜也能解決嗎？」妳吸吸鼻子。

「尤其有效，來吧！」他說，妳讓他陪著妳走出教堂，繞過轉角，狹窄的運河邊有兩個船夫在擦拭船上的銅雕，妳的目的地隨即出現在眼前。

「妳看！」小周唱著說，似乎對自己的點子很得意，而他的確可以這麼認為。這男人簡直是天才，不只是個藝術家而已。妳面前的店家招牌上寫著「義大利冰淇淋」，光是如此妳已經覺得好多了。

「我請客，」小周說，「我推薦開心果口味。」

五分鐘後，你們在運河邊散步，享用著妳這輩子吃過最誘人的冰淇淋。柔和的陽光與異國風情，加上妳剛看過的那些藝術作品，讓妳覺得小周對妳而言已不再陌生，而是一位能夠與妳分享內心的人，這一切讓妳願意告訴他妳的故事。也或許是義大利冰淇淋的魔力。

無論如何，能說出來感覺真好，而小周是個好聽眾。當妳解釋著妳的偉大浪漫約會如何變調時，他會在適當的時候發出同情的驚嘆聲。但等到妳的故事告一段落時，妳偷偷瞄他一眼——咦，他的嘴角在抽動嗎？

「你在嘲笑我！」

「我沒有，我發誓！」他說，但視線一直轉向角落，不敢正眼看妳。你們突然察覺這一切多麼荒謬，雙雙爆出大笑，一發不可收拾。沒多久，你們倆就依偎著彼此，樂得近乎歇斯底里。

「喔，天啊，那個髒老頭！」妳不屑地說，「這種故事是編不出來的！」

「我覺得說完這故事之後，值得讓妳舔一下我的甜筒。」小周說，「我保證非常好吃。」

「真的嗎？」妳往他身上靠。「你也要舔我的嗎？」

你們四目相交，痴痴地看著對方，妳踮起腳尖，慢慢舔著他剩下的冰淇淋。於此同時，他也舔著妳的。一想到你們倆的舌頭如此靠近，就讓妳心花怒放，脊椎上像是有天使在跳舞。你們又互相舔了一口，慢慢地，幾乎動作一致。如果你們繼續這樣下去，幾秒鐘後你們就會開始親吻。這個預測令妳雙腿發軟。

妳用手指扶好他的甜筒，滑進他握著甜筒的手指間，一些融化的冰淇淋滴到妳手上。他凝視著妳，用另一隻手勾起妳的手指，靈巧地舔去融化的冰淇淋。隨後他握起妳的食指，放進口中吸吮起來。妳全身輕顫，他注意到了，你們倆一起向彼此靠近，吃掉他手上剩下的冰淇淋，然後找到彼此那還帶著冰淇淋甜蜜餘味的清涼唇瓣。

妳將自己的甜筒拿開，讓小周環抱著妳，在他用柔軟雙唇探索妳的嘴時穩穩地支撐著妳。他的節奏抓得正好，正當妳開始想要加深這個吻，他的舌頭抵著妳的牙齒，妳歡迎他的進入，頭往後仰，享受著不同的觸感，他柔軟的舌頭、滑嫩的唇瓣，還有偏頭深吻妳時輕輕摩擦的鬍碴。

他的一隻手滑到妳臀部，另一隻手則在妳的背部上緣遊走（你們都把甜筒丟掉了）。你們親吻著彼此，愈來愈熱切。小周將妳轉過身，伸手摟著妳的肩膀拔腿跑回教堂裡去。你們跌跌撞撞地跑上階梯，回到那幽暗的室內，經過他的畫作後來到一間附屬小聖堂裡。

黑暗使妳幾乎看不到他，但能感覺到他的手緊緊捧著妳的臉，然後他再次吻住妳，你們開始熱情地接吻。接下來，妳感覺他的手覆上了妳的大腿，故意由妳裙底往上撫摸。哇，這傢伙真會把握時間！

妳頓時有點不安，親吻是一回事，但性愛——而且還是在教堂裡？這樣做，妳不會遭到天打雷劈之類的嗎？

「等一下。」妳邊說邊稍稍退開身子。

「太快了嗎？」小周喘息。「還是地點有問題？」

妳思索著。其實兩者皆是，但也許這正是妳需要的，好好洗淨拉札利家族帶給妳的羞愧。妳不能否認自己覺得小周很迷人（是人都會這麼覺得）。他很英俊，還是個藝術家，而且對冰淇淋有完美的品味。也許妳應該把握機會，以及把握住他。

如果妳決定放手一搏，在教堂裡纏綿，請翻至第143頁。

如果妳想到比較私密（而不那麼褻瀆神明）的地方，請翻至第145頁。

妳決定放手一搏

妳抱著小周的頸子，用力地吻他。「來吧。」妳在他耳邊呢喃，接著輕咬他的耳垂。這意思應該夠明顯了。他低吼一聲，用鼻尖磨蹭妳的脖子，一手捧住妳單側胸部，然後移到另一邊，有力的手指玩弄著妳的乳尖。他的另一隻手不斷撫摸妳的背脊，同時帶著妳往後方走，直到妳靠上背後冰冷的石牆。

他溫熱的手放在妳大腿上，愈摸愈高，往妳臀部進攻。妳感覺他的手指勾住了妳底褲的蕾絲，用力地拉扯。要來真的了，他的嘴從妳的脖子往下移動，親吻起妳的雙峰，妳忍不住仰起頭。

妳差點大聲尖叫出來，一對哀傷的眼眸正往下盯著妳看。那是聖母瑪利亞的眼睛，幾世紀以來一直用悲憫的眼神照看著人性的邪惡，此時此刻卻立即在妳身上產生了效果。

「小周，對不起，我不能這樣做——至少不能在這裡！」妳掙脫開來，氣喘吁吁。

他馬上鬆開手，開始道歉。「妳說得對，也許這裡不是個能令人放鬆的環境。」他說著，自己也喘個不停。「我有個主意……」

妳忽然想到可以回飯店，但那是在大運河的另一頭，而且妳不確定你們倆之間的一時激情能否撐過漫長的路程或擁擠的交通。

「有比較不那麼，呃，神聖的地方嗎？」妳問。「最好是沒有古聖先賢或聖潔處女盯著我們看的地方？」

請翻至第145頁。

妳決定找私密一點的地方

妳跟著小周穿過被稱為calles的窄巷，經過星羅棋布的小石橋，最後來到一個低矮的門廊，通往一個鋪著搶眼黑白相間大理石馬賽克地磚的大廳。標示指出這是另一個雙年展的展示空間，是中亞區的展場之一。

一個年輕人在門口打盹，向小周點頭致意時眼睛幾乎睜不開，小周匆匆把妳帶進去。你們走上階梯，經過色彩鮮亮的雕塑和牆面大小的吉普賽婚禮照。終於，他掀開一片紅色布簾，示意妳走進一個小房間。

這真是太震撼了。妳走進的地方像是某個蘇丹君主的帳篷，整片地板都鋪著布滿紅色、金色和黑色圖案的地毯。圖案自布料一路延續畫到木頭上，使得整個房間就像是和地毯融為一體，那些牆面、從天花板垂下的織幔、坐墊與內部陳設，造就出一種難以想像的感官刺激，即使有點像是嗑了迷幻藥，而這一切現在只屬於你們兩人。

小周帶妳坐上靠墊堆，立刻開始脫妳的洋裝拉鏈。

「嘿，」妳說，抓著他的手。「我們又不趕時間。」

「我知道，我簡直像個青少年一樣，」他承認。「只是妳實在太火辣，我怕妳會像輕煙一樣消散。」

妳忍不住咯咯笑。「拜託你再多說點好聽的。」妳邊說邊撩起他柔滑如絲的頭髮，輕輕地吻他。感覺像是過了一個世紀，你們倆在柔軟的地毯和坐墊上彼此糾纏，不停翻滾，嘴與舌緊扣著彼此。最後，堅持要脫下洋裝的人變成了妳。將衣服從頭上脫掉後，妳同時也除去他的襯衫。

小周修長的琥珀色身軀摸起來光滑柔順，就像上等絲綢。心臟上方的胸肌上有個龍飛鳳舞的刺青，像是某種異國文字。「這是阿拉伯文嗎？是什麼意思？」妳問，同時用手指撫摸他小又硬的乳頭。

「那個字的意思是『藝術』，是波斯文書法。」他說。「我知道很老套，但這表示我的心屬於我的藝術……不過現在，我想專注的藝術作品是妳。」

這話很俗氣，但妳不在意，任由他的手伸到背後解開妳的胸罩。他再次親吻妳，然後往下移動，從脖子到鎖骨，然後到妳隆起的雙峰。妳呻吟出聲，拱起身子，急切地要他含住妳的乳尖。他沒讓妳失望，慢慢地將整個尖端含進嘴裡，用舌頭靈活地舔弄。

經過宛如身在天堂的幾分鐘之後，妳悄聲說：「另一邊開始忌妒了。」他抵著妳的肌膚笑起來，轉移陣地到妳另一側乳峰。這次他的手滑進妳大腿上方，妳密切配合，抬起臀部讓他的手指勾住妳的底褲，輕鬆地將它脫下。

妳的靈魂暫時出了竅。妳在異國的城市，一絲不掛地在陌生人懷裡翻來覆去，地點還是蘇丹閨房裡的地毯。小周似乎也感應到了妳腦中的想像，他拿出手機。

「妳看起來好美，妳的身體曲線，布料與流蘇襯托著的柔美肌膚，映襯著四周的金碧輝煌。我可以拍妳嗎？」

妳嚥下一口口水，裸照在網路瘋傳的畫面浮現腦海，但妳太過興奮，已經沒辦法在乎這些了。「好，但不要拍到我的臉。」妳說。他開始拍照，然後躺在妳身邊讓妳看拍好的照片。妳必須承認他很會拍照，那些照片非常迷人。妳的胴體在坐墊間擺成優雅的S形，肌膚在豐富的色彩和質料間閃閃發光，雙乳顯得耀眼動人。

「該你脫了。」妳輕聲說，伸手解開他牛仔褲的釦子。他修長的腿從牛仔褲中慢慢展現，還有與之相稱的勃起，它有點微彎，極度昂揚，幾乎像是用某種大理石雕刻而成的，但那黝黑濕潤的尖端證明他是活生生的血肉之軀。

「我也要拍你。」妳甜甜一笑，伸手拿過他的手機，推他躺在地毯上，然後拍了張俗氣的照片。照片中他的勃起在光滑完美的身軀上直挺挺地立著，有點像妳今天看過的那些廊柱。「嘿，是威尼斯斜塔！」

他咧嘴一笑，用手肘斜撐起身子看妳拍的照片。「來為斜塔做點維修工作如何？」他低語，拉妳的手握住他的勃起。妳輕捏一下，他呻吟出聲，接著一個翻身覆到妳身上，膝蓋伸進妳雙腿間。

妳明白他的意思，雙腿張開，輪到他探索了。他的手指從妳大腿內側向上愛撫，還沒碰到妳的花園，妳就感到一波狂喜，因慾望而輕吟。妳感覺到溫熱的手指擦過蜜唇，撥開它們，妳的濕意沾在大腿上，隨後是手指進入妳所帶來的震撼，另一隻手指則捻揉著妳的小蒂。

快感使妳呻吟，感到那雙溫暖的手正在分開妳的雙腿，柔順的頭髮披散在妳的小腹。接著，一張更溫暖的嘴開始吸吮妳的小穴，他的舌頭在唇瓣間舔拭，一隻手指不忘緩慢地逗弄妳的小蒂。

妳幾乎無法招架，拱起身子大聲尖叫，咬著自己的拳頭，希望他放慢速度，但他堅決持續著這一切，強力吸吮的嘴與定速挺進的手指交替變換，妳無力抵擋來襲的高潮。它在妳的小腹集結，接著激烈地在妳全身爆發，歡愉中幾乎帶著一絲痛楚。妳倚著坐墊簌簌顫抖，頭部不停晃動，哭喊出聲。隨之而來的解放感相當強烈，過去二十四小時的緊繃與失望，在身體的撼動中消逝，妳的心跳逐漸恢復正常。

妳終於睜開眼睛，看見小周俯在妳身上微笑，他的勃起依舊挺立。這一切離結束還早得很。妳在他面前恣意地呈大字型躺著，他伸手拿來牛仔褲，從口袋裡找出保險套。

他將妳翻過身來轉為俯臥。劇烈高潮使妳無力保持跪姿，但他似乎有別的想法。他讓妳趴在一堆墊子中間，將妳的下半身稍微撐高，雙腿分開，頭倚在自己的手臂上。

妳聽到撕開保險套包裝的聲音，隨後他俯身在妳耳邊說：「準備好迎接我了嗎？」

妳喃喃地同意，感到他的尖端頂著妳濕潤的蜜穴開口，他深深地滑進妳體內，被撐開的感覺讓妳感到美妙無比。即使妳已全身疲軟，小穴卻不用幾秒就又活了起來。妳沒試過這樣的角度，從不知道自己擁有的那些神經末梢被挑弄著，妳開心地吟叫。

小周開始衝刺，剛開始動作緩慢，幾乎像是擠壓，然後每次都更深入一些。他每次一推進頂點，妳就忍不住呻吟，然後妳聽到他輕聲地說：「我在錄影喔。」

什麼？這可不是妳想要的！但妳還來不及抗議，他長長的手臂就伸到妳面前，拿著手機，給妳看他剛剛拍下的畫面。妳著迷地看著他碩長又光滑溼亮的勃起在妳的粉紅色蜜穴滑進抽出，妳的私處就像多汁的熱帶花朵，唇瓣大張，妳和他的肌膚都是一片溼滑。妳不斷看著妳的小穴與他的巨柱交合，聽著自己的呻吟與他的低吼，這種感覺既驚奇又性感，尤其是當你們一起看著手機螢幕時，他還繼續在妳體內挺進，你們的動作與呻吟持續著，歡愉不斷重複播放。

小周放下手機，必須使用雙手扶著妳的臀以便更快速地衝刺。接著他大喊一聲，勁射出來，抖動了四、五下，每次都更深地插入妳體內。

他對著妳的脖子呼呼喘息，不久之後癱倒在妳身上，妳在他身下放鬆下來，兩人躺臥在地毯上。

你們緊抱著對方，但已不再那樣急迫。你們的身體因滿足而微微出汗。

「我想我們毀了這個展覽。」妳終於喃喃出聲，慵懶地伸手拿取壓在駱駝鞍褥底下的胸罩。

「喔，它可是出乎意料地堅固。」他翻身拿掉保險套，然後在妳身邊伸個懶腰。

妳想了一下才明白過來，小周對這地方熟門熟路，加上門口那位工作人員的淡定反應，以及隨手可得的保險套。「你不是第一次帶女人來這裡！」

他舉起手來假裝投降。「對，我不是第一次帶女人——或男人來這裡玩。怎麼，妳介意嗎？」

妳瞪著他，泛起一絲失落，但也氣自己竟然這麼想。這男人又不屬於妳——妳只知道他帥氣又有才華，在妳的自信心跌到谷底的這一天，是他讓妳覺得自己還不算太糟。

妳下定決心。「不，一點也不介意，有必要時我也可以和別人一起分時共享[9]，我玩得很開心。但有件事我不打算分享……」妳把他的手機拿過來。

他訕訕地看著妳找出你們的性愛短片。妳留戀地多看了幾秒，你們的確是郎才女貌。接著妳將影片一把刪除，他出聲抗議，但並沒有動手阻止妳。

妳決定留下展現出妳曼妙身軀的無名艷照，然後把手機還給他。「好，刪除啦。我們穿上衣服去喝杯酒吧，這些運動讓我口好渴。」

他扶妳起身，把衣服遞給妳。「嗯，好消息是我們消耗了冰淇淋的卡路里，妳喜歡的話我們可以再去吃。」

你們一起走出去時，妳的手機響了。是極有效率的雅芮安娜。她把歌劇晚會的資訊留在飯店，還想問妳找不找得到明早去服裝店試衣服的路。

「小周，我玩得很開心，但我必須回飯店解決一些事情。」妳說。「改天好嗎？」

「那就改天吧，」他微笑，一派輕鬆自在。「妳可以在網站上找到我。誰知道呢，也許有一天妳有錢了，會想買我的作品。」

「一言為定。」妳說，靠過去親他一下。他送妳去搭船，妳上船時，回頭看到他靈活地穿過人群，兩手插在褲袋裡。他回頭向妳揮揮手，然後消失無蹤。妳知道，這輩子只要吃到開心果冰淇淋，一定都會想起他。

請翻至第167頁。

---

9 分時共享（Time-share），原意指和其他產權擁有人分時段共享同一度假別墅或住宅。

妳陪克勞帝歐去尼斯

克勞帝歐來丹尼爾利飯店碼頭接妳。看見沉默先生負責開船，妳並不意外。妳已經習慣搭船四處遊玩，這次又同樣快速地前往機場。安全檢查很快就結束，妳還滿期待和克勞帝歐單獨在飛機上相處。

妳已經花了時間恢復受傷的自尊，妳覺得既然是在他的地盤，沒有理由不多了解一下這個人。或者，也是給他機會多了解妳。他本人就像照片裡一樣俊美，根據昨晚妳上Google搜尋來的八卦報導，他目前沒有固定的交往對象。從妳找到的一些照片看來，他身邊美女如雲，但從不是同一個，妳認出最近和他一起參加坎城影展首映會的是雅芮安娜，帶表妹出席表示他並沒有認真的戀愛對象。

也許在第一天晚上的混亂之後，他對妳一點興趣也沒有，但你們今天有機會共處，為何不好好利用一下呢？妳在奢華的座艙裡繫好安全帶。從沒搭過私人客機的妳，正試著不要表現出一臉讚嘆，同時從睫毛下偷偷打量他。

但妳大大地失望了。他打開公事包，拿出平板電腦和一疊文件。「真抱歉，」他說，

「我得為這個會議做些準備，這些客戶要求很高。」

好吧。幸好飛行時間不長，妳藉由欣賞途中的美麗湖景和白雪皚皚的山脈來娛樂自己，接著翻閱起能幹的雅芮安娜為妳準備的香水調製課程資料。看起來頗有趣。

終於，機長開始廣播，差不多要準備降落了。飛機下降時，妳眺望著窗外的蔚藍海岸，山脈自湛藍海水旁拔地而起。從空中往下看，尼斯就像一大碗紅澄澄又黃燦燦的亮片。飛機似乎要降落在海上，但在最後關頭，跑道從輪子下方出現，飛機平穩地降落。

豪華轎車的司機過來迎接，載著你們駛過海岸和棕櫚樹。夏天已過去，美麗的沙灘與海岸僅有寥寥些許帶著釣具前來的釣客點綴。

克勞帝歐在美麗殿飯店下車，他會在這裡的會議室待上一整天，但妳繼續往滿布石塊的山丘前進。山丘上的花園比妳想像中更美麗，由白花丹和九重葛砌成的圍籬繞著橄欖和無花果樹。不久後妳來到一條狹窄的巷弄，右側有個坐落在山頭，古色古香、以石頭搭蓋成的小村莊，妳的目的地，那棟鮭魚般粉紅的香水博物館就在左手邊。司機答應傍晚來接妳之後便先行離開。

妳報出名字後，受到熱情的微笑歡迎，這次真的有人等著妳。一位穿著黑色細條紋套裝的美麗女子帶妳走進建築中央，沿途經過牆上的大照片與海報，展示著工人在深度及膝的玫瑰和含羞草中工作，正一一將那些花卉盛入桶裡。

她陪妳走進一間既像舊式藥房也像現代化學實驗室的房間，架上擺滿標示著香根草與依蘭依蘭樹等標籤的咖啡色小瓶子，房間裡還有許多橡皮管、量杯和洗手槽。

護送妳來的人離開。幾分鐘後，妳聽到高跟鞋輕快走來的聲音，一個亮眼的女人走進房裡。她不是傳統美女，但明顯帶有法國女人著名的儀態舉止。精心整理過的紅色短髮簡潔俐落，身上的鼠尾草綠簇毛紗套裝一定是香奈兒，絕不會是其他品牌。她的腿型極美，穿著簡約時髦的黑色高跟鞋，伸出來向妳致意的手修整得完美無瑕。

她叫瑪德蓮，是博物館的總監，顯然也是老闆（還是老闆娘？），同時也是一名香水專家。

「幸會。」妳介紹自己時，她回答。「來，別客氣，艾蜜莉很快會端咖啡來。我總是喜歡為每個人創造屬於他們獨特的香味。克勞帝歐是我們的老朋友了，他和我丈夫是生意夥伴。」

敲門聲響起，美味的咖啡來了，還有家家酒尺寸的牛角麵包與奶油蛋捲。妳啜飲咖啡時，瑪德蓮傾身過來，用她大大的綠眼睛看著妳。「為女人製造香水之前，得先了解她這個人。香氛是極為私人的東西，我的工作使我成為化學家、心理學家、魔術師和神職人員的綜合體。所以，我們今天要花點時間，好好地聊聊妳。」

妳可能看上去一臉驚慌，所以她笑了起來。「妳不必緊張。不會痛的，我保證。而且還有香檳可以喝。但容我為妳先解釋一下香水科學……」

她開始描述在免稅店和百貨公司裡販售的香水背後的化學原料，又帶著妳走出實驗室去看博物館內的展覽，以加強她的論述。時間過得很快，妳得承認，妳覺得這一切很好玩。

最後，妳們回到充滿芳香精油和量管儀器的寧靜室內，她從酒吧冰箱拿出一瓶香檳。

「現在妳對理論有了認識，但要在這裡為妳做出難忘的香水，我就必須多了解妳。」她為妳倒了一杯淺金色的氣泡酒，然後拿起自己的杯子與妳敬酒。「敬新發現，」她說，「不知道妳內心藏了些什麼祕密呢？」

「喔，」妳甩著手表示抗議。「我一點也不神祕，只是個平凡的女孩……」

「那麼，妳可以先說說妳怎麼會來威尼斯找克勞帝歐？這真的很不尋常，他對妳的事情三緘其口。」

妳整個人垮下來。妳不想向這個世故的美女敘述自己如何被一個色老頭騙來威尼斯，但妳感覺到她不會就此罷休。

「跟我說說妳的煩惱。我有大把時間，而且我們還有香檳。請不要隱瞞，把它全部說出來，但別哭喔！妳鼻子一旦塞住，就聞不到香水了。」

能夠和盤托出一切其實讓妳如釋重負。妳一說完，瑪德蓮就興高采烈地站起來。「但這簡直太棒了！」她說。

妳傻眼。「什麼意思？」

「沒錯，這不是個開心的故事，畢竟妳被人騙了。但我已經知道該如何調配專屬於妳的香水。妳勇於冒險，性格衝動又熱情，願意到天涯海角尋找愛情。事實上，我已經替妳的香水取好名字了。我們應該叫它『衝動』！」

這女人應該去從政，她處理危機的能力相當驚人。但妳一瞬間的確覺得好過多了，也許妳最後不會帶著羞愧狼狽地回家，而是驕傲地擦著獨一無二的「衝動」香水回家。

妳對瑪德蓮微笑。「我準備好開始下一階段了。」

「我想也是。」她喃喃道，帶著妳走向半圓形的桌子，以及風琴狀的香水櫃，櫃子裡的層架上排滿了精油。妳看到一些紙籤，還有一罐咖啡豆。「精油聞久了，妳可能會覺得有點難受，」瑪德蓮解釋，「所以如果妳想休息一下，就聞聞咖啡豆，這樣可以喚醒嗅覺。我們先從基底油開始，它擦在皮膚上很舒服，且不會和其它香味衝突。」她一邊說，一邊遞給妳一瓶杏仁油。「感受一下它有多麼溫和。」她擦了一小滴在妳手背上揉開，她細長的手指很有舒緩效果。

她的手靈巧地在那些小瓶子間來來回回，選取一些，淘汰另一些。然後打開寫著如詩詞般命名標示的容器——冬加豆、西普檀香、乳香、鼠尾草茴香和橙花。還有一些讓妳想起花園——黑檀、羅勒、柑橘、康乃馨、茉莉。

「告訴我妳喜歡的。妳對哪幾種有感覺？」她拿了些小紙籤給妳，讓妳沾取精油嗅聞。效果令妳深深陶醉。妳不斷嘗試各種不同的濃縮香精，有些味道很濃烈，幾乎使妳神志不清。

瑪德蓮拿起一束橡苔給妳聞。「這味道有點重。」妳說。

「啊，這跟混合方式有關，就是精油之間的和諧。所有的香氛都需要前調、中調和基調。」

她輕輕將手放在妳的頭部兩側。「前調先帶出香味，展現出第一印象，像是一個人的眼神或微笑。」她的手指在妳的太陽穴慢慢揉動，妳忍不住嘆息，放鬆身子靠向椅背，妳正需要來點嬌寵。

「中調持續較久，是香氣的精華，溫暖迷人。它有時被稱做『心的味道』是有道理的。」瑪德蓮說著，將兩隻清涼的手指按住妳胸前肌膚，就在妳的雙乳上方，輕輕地點了一下就快速移開。「它們是香水的心跳。」

妳不知道是因為聞了太多濃烈香水、傾訴故事的解脫感，還是這雙女人的手，妳在座位上坐立不安，但並非因為不舒服。妳想要她再次觸碰妳，妳對自己說，就像把妳當成一隻貓一樣。

瑪德蓮好像聽見了妳的心思。她說：「最後，是基調，持續時間最長久。它的味道最深沉，但能保持香氣，讓魅力持續不滅。」她一邊說，一邊將手往下挪向妳的臀部，輕輕撫弄。「妳知道嗎？我們的能量是從這裡開始形成的。」

一陣靜默後，她彎腰俯向妳，雙手仍放在妳的臀上，她的臉就在旁邊，近到妳可以聽到她的呼吸，聞到她身上細緻的香氣，帶有植物與一絲香料的味道。妳轉過頭，直視著她的眼睛，看到她柔軟的紅唇近在咫尺。妳知道妳只有幾秒鐘的時間做出回應，否則這一刻將永不復返。妳也知道如果想要，得由妳採取主動。但妳從未做過這樣的事。

但瑪德蓮才剛為妳的香水命名「衝動」，這是在肯定妳的勇氣嗎？

這不是妳要的，讓這一刻過去，繼續專心調製香水比較好。請翻至第165頁。

管他的，妳要讓「衝動」這個標籤名副其實。請翻至第159頁。

妳決定讓「衝動」這個標籤名副其實

妳深吸一口氣，然後傾身向前。距離很近，但當妳的嘴擦過瑪德蓮的雙唇時，腦中出現的卻是太空人阿姆斯壯的名言「人類的一大步」（對妳來說，是『女人』的一大步）。她沒有回吻妳，但也沒有退開，妳卻明顯感到她的手開始從妳臀部往腰部挪移。

妳再度吻她，跟妳碰過的男人比起來，她的唇出奇地柔軟豐滿，上唇尤其柔嫩，妳輕輕地吸吮。整個世界好像進入了慢動作模式，過了許久，她的舌頭才滑進妳的唇，觸碰著妳的牙齒，然後探入妳口中。這種感覺令妳欲罷不能，雙眼依然緊閉，同時享受著她的碰觸，她的手比妳體驗過的要小些，正在緩緩愛撫著妳的身體。

她依然俯在妳上方，妳們吻個不停。她拉著妳起身，快步帶妳走向角落的躺椅，妳們倆一起躺下來，開始激烈地熱吻。

但她忽然小聲地驚叫，一把推開妳站了起來。喔，不，妳是不是做錯了什麼？但她只是把窗簾拉上，然後脫下外套。她在裡面穿了件黑色蕾絲緊身馬甲，法國人穿起來真好看。還好妳今天早上剛換了新買的魔術胸罩，妳開始笨拙地解開自己的襯衫鈕釦。

「讓我來。」瑪德蓮說，很快地解決了妳的上衣，摺好後放在一旁。然後她鎖著妳的視線，隔著胸罩輕輕撫摸妳已然硬挺的一側乳尖。「妳確定妳要繼續這場……探索？」她問。「我看得出來妳是新手，但我覺得妳……樂意嘗試新事物，對吧？」

妳猶豫了，但只有一下下。妳人在國外，正與一個成熟性感的法國女人在香水實驗室裡，這機會稍縱即逝，難道妳不該好好把握嗎？「衝動。」妳自言自語，瑪德蓮聽到了，低聲咯咯笑。

「我想我需要重複一遍精油課程。」她說著，同時推妳坐上貴妃椅。她坐在妳旁邊，開始以效率十足的速度脫下鞋子、裙子和絲綢底褲。妳發現她是天生紅髮，她的密林和人一樣乾淨俐落。

然後她俯身向妳，只穿著那件馬甲。「首先，是前調——香水的前味，如果妳喜歡的話……」她不斷吻著妳的臉和脖子，輕咬妳的耳朵。她輕輕啄咬著妳漲紅的肌膚，從脖子慢慢游移至肩膀，使妳全身輕顫。

妳感覺她靈巧地解開妳的胸罩，女人動作這麼熟練是合理的接著，她用帶點嘶啞的聲音說：「接著是中調，是香味的中心……」她溫暖的氣息游移至妳的胸前，用一手捧起。她輕捏妳的乳尖，妳輕聲呻吟，她的嘴輪流品嘗著妳的雙峰，用舌頭猛舔尖端，使妳呻吟得更大聲。她的聲音因抵著妳的身軀而變得模糊，但妳聽到她說：「這是香味的重心。」

也許是因為飢渴，或者是好奇心的驅使，妳伸手碰觸她小巧但近乎蒼白的雙乳。它們被擠出馬甲的上緣，妳揉捏著它們，她柔軟的肌膚和硬邦邦蕾絲的對比使妳深深著迷。

「等等，我的課還沒講完。」她說著，伸手往下碰觸妳的肋骨和腰際，然後再往下來到妳的臀。「最重要的是基調：持續時間最長，是香味的精華……」

她快速扯下妳的底褲，然後慢條斯理地撫摸妳的腿，拇指揉著妳的小腹。妳愉悅莫名，默默張開雙腿迎合她，她的手伸進妳雙腿間。

「妳可以說，這深沉的香味形成了香水的核心。」話一說完，她就開始在妳腫脹的蜜唇間探索，妳們倆都因那熱情的濕度而驚呼出聲。她用兩根手指深入妳體內，妳根本來不及反應，只能拱起身體，抬高雙腿，感受到的那股愉悅令妳驚喜，對自己永無止盡的渴望感到訝異。

「這是每個女人私有獨特香味的核心，決定著她的本質。」瑪德蓮做出結論。隨後，她拉開並抬高妳的腿，快速用嘴品嘗妳的小穴。她的雙唇與舌頭對妳身體的開口是種甜蜜的折磨，她有力卻溫柔的手壓制著妳，使妳顫抖尖叫。

她用舌頭舔拭著妳的小蒂，直到妳呻吟著抬高臀部，她才逗弄地移開，轉向妳的蜜穴入口。等到妳再也無法忍受，她又回到妳的小蒂，時而在周圍游移，時而用力壓迫，手指與嘴唇交替使用。

愉悅的折磨持續了好久，感覺像是過了永生永世，但無論她怎麼玩弄、挑逗、抽離，都擋不住妳的高潮，它就像失控的列車一樣漸漸逼近，那股撞擊妳的力道如此強勁，妳的身軀猛然彈起，妳從躺椅上抬起臀部，私處仍緊貼著瑪德蓮的嘴。好一會之後妳才意識到，她必須伸手摀住妳的嘴，以免有人聽到妳嘶啞的尖叫。

妳躺在那裡扭動身子，快感如金黃糖漿般在妳血管裡流竄。她跨坐在妳身上，雙腿大開。她精巧的乳峰已經露出馬甲之外，乳頭和私處一樣粉紅，她對著妳用手指撥開腫脹的蜜唇，展示她自己溼到發亮的興奮。

妳不確定她要妳做什麼，但似乎她已有安排，她翹起臀部，用她的私處摩擦妳的小穴，她的小蒂搓弄著妳濕潤的唇瓣，像男人一樣晃動衝刺。沒幾分鐘，她的頭往後仰，乳尖顏色變深，跨坐著妳的身軀不斷輕顫，嘴裡發出短促的呻吟。

最後，她放鬆下來躺在妳身邊，輕輕吻著妳。妳在她的唇畔嘗到自己的味道，引發妳體內另一波快感。

妳們舒適又寧靜地一起躺了一會，隨後瑪德蓮站起來，走向香水櫃，拿起幾個瓶子與燒杯。

「妳休息吧，」她說，「我得調好妳的香水。現在我知道該加什麼了。」

她在妳的小腹、胸膛、雙乳、手臂和大腿分別塗上香甜的杏仁油，然後加上幾滴香水，讓妳的肌膚慢慢吸收這些精油。

「妳看，我加上大膽的麝香、溫暖的生薑、清新的檸檬馬鞭草和性感的梔子花。妳喜歡妳的新香水嗎，衝動小姐？」

妳非常喜歡，妳也喜歡她的手再次迎向妳雙腿之間，用溫熱的精油塗抹妳的小蒂，慢慢揉搓，但同時也用力地玩弄著妳的敏感地帶。這次，妳盡可能地抵擋高潮來襲，但最後，妳還是下體輕顫地再次尖叫，快感從妳的私處往外爆發。

妳許久無法回神，只有模模糊糊的意識。接下來的幾個小時，妳的香水已進入最後完成階段，配方都已被妥善紀錄下來，以便未來需要時妳能按表調製，還要在混合物送去製成成品前選好容器，妳忍不住一直慵懶地微笑。妳偶爾會舉起手，聞聞肌膚上精油混合的味道，激烈性愛使得那香味更加誘人。

午餐是溫熱的羊乳酪沙拉、馬賽魚湯和更多的香檳，甜點是薰衣草馬卡龍，放在飾有緞帶的盒子裡。妳想起瑪德蓮說的話。「我無意刺探隱私或惹妳生氣，但我從沒做過這種事，我是說，跟女人做。所以我很好奇，」妳說，「妳不是說妳有丈夫嗎？呃，那這是怎麼回事？妳是同性戀嗎？或者是，嗯，男女通吃？」

瑪德蓮失笑。「我的婚姻很幸福，有三個可愛的子女。我先生和我關係良好，但我們之間也有個約定，他有他的情婦，我有我的……冒險遊戲。沒人會因此受傷，彼此都很謹慎行事。我們的子女是在一個文明而知足的環境下長大的。」

「老天，」妳喃喃道，「我覺得我永遠沒辦法這麼務實。」妳同時也想起了妳的浪漫舉動為妳帶來了什麼後果，遭人詐騙又受困海外。但另一方面而言，也是因為如此，妳才會與一位優雅性感的香水師在貴妃椅上纏綿，之後還能和英俊的義大利伯爵一同搭乘私人飛機回家。此行也算是頗有收穫吧。

請翻至第165頁。

妳和克勞帝歐搭機回威尼斯

妳躺在座位上，看著南法沿岸在浪漫的朦朧夕照中慢慢遠去，妳滿足地嘆口氣。

克勞帝歐抬起頭。「希望妳今天過得很開心。瑪德蓮有沒有好好招待妳？她是個多才多藝的女人。」

妳犀利地瞥他一眼，但他這句話似乎沒別的意思。「你才知道啊。」妳小聲地說，然後提高音量。「我玩得很開心，謝謝你。」妳絕對不想跟他分享今天的所有驚喜。

他抬頭，讚許地聞了一下。「希望妳不介意我這麼說，妳聞起來好香，簡直是秀色可餐。」

妳又白了他一眼，但妳決定先不定他的罪，尤其當他正溫暖地對妳微笑，妳發現妳還沒真正看過他笑，笑容改變了他的面容，陽剛的臉頰浮出酒窩。

「謝謝你，我只是擦了點綜合精油，香水成品需要幾週後才會製成，他們會再寄給我。」

「我可以問妳為香水取了什麼名字嗎？」

妳臉紅了。「你一定會笑我。『衝動』，是瑪德蓮的主意。」妳很快地補充。

他真的笑了，露出完美的白牙。「可惜妳來不及在歌劇晚會擦新香水。妳會來參加吧？」

妳考慮了一會。妳不愛聽歌劇，而且還要穿上正式禮服和戴面具有點嚇人。但聽起來會是場精采的冒險，妳不想錯過。

「謝謝你，我很樂意參加，希望雅芮安娜不介意幫我尋找服裝和配件。」

「太好了。她會很樂意幫忙的，她喜歡這類的事情。」他再度微笑，妳的雙腿有點發軟。也許妳會在飾有絲絨門簾與奢華座椅的私人包廂裡與他共度……或在大型舞池的閃亮吊燈下在他懷裡跳舞。女孩都有權利作夢，對吧？

請翻至第167頁。

妳準備參加歌劇晚會

妳環顧著位於威尼斯鳳凰歌劇院附近狹窄小巷裡的這間高級戲服店，雅芮安娜和老闆顯然是老朋友，她們正滔滔不絕地聊著晚上的活動。華麗的布料和服裝塞滿了整間店，蠶絲、綢緞和絲絨在威尼斯的燈火下隱隱發光。

店家牆上的平面電視正播著總督舞會的精采畫面，那是去年嘉年華會最耀眼的一場活動，賓客們奢侈華麗、創意十足的服裝讓妳驚艷，人人精心打扮，連一絲頭髮都不馬虎。除了樂手之外，每個人都戴上了面具。有些女人只遮住眼睛，但男人們要不是戴著只露出嘴部的半張面具，就是把整個臉都遮住。面具大多是金色的，效果有點令人想入非非，也有點頹廢墮落，但絕對是金碧輝煌，燦爛耀眼。

雅芮安娜和她的朋友拿了許多衣服讓妳試穿。妳走進狹小的試衣間，脫到只剩內衣褲。她們不斷幫妳換穿令人驚嘆的服裝，妳好像在上歷史課，換穿著代表四個不同世紀的禮服，一件比一件華麗。

麻煩的是，這些衣服都很重，拖著繁複的布料，還有複雜的襯裙、鯨骨架、裡布和束腹。妳欣賞著自己身上那套淺黃色的禮服，緊身馬甲將妳的雙峰高高托起，深溝相當驚人——但妳幾乎無法呼吸，無法想像穿著這衣服要怎麼看完歌劇，更別說吃喝進食了。

「真的很對不起，但我實在不適合這種裝扮，」妳忍不住說，身邊堆滿了絲綢錦緞。「一定要穿古代禮服嗎？或是我可以穿別的？」

雅芮安娜彈了一下手指。「我有個主意。舞者的服裝如何？」她去另一堆衣服裡翻找，但妳突然看見夢想中的服裝就掛在牆上，一件看起來像是將孔雀羽毛纏在一側肩上的馬甲上衣，和一條以多層薄紗製成的藍綠色芭蕾舞裙。

她們隨著妳的目光往上看。「啊，對了，那是我最近為鳳凰歌劇院一齣舞劇的首席芭蕾舞者縫製的。」老闆說。「它的確很美，看起來妳應該穿得下，後面是用蕾絲綁的，所以放大一個尺碼以上沒問題。」

她把衣服拿下來遞給妳。真的是用孔雀羽毛做的，以精細手工縫在紫羅蘭色馬甲上衣上，用亮片、水晶和米粒珍珠固定著。妳暗自祈禱自己穿得下，這是妳看過最浪漫的禮服了。

雅芮安娜拉開蕾絲，幫妳穿上衣服，它就像妳的第二層肌膚一樣合身，彷彿是神仙教母對妳揮舞了魔杖：妳這輩子從沒看起來這麼耀眼迷人。

另外兩個女人討論起來：「她穿這件禮服就不能穿胸罩啦，因為背後蕾絲是鏤空的。還有鞋子怎麼辦？」

半小時後，妳懷著陶醉的心情走出試衣間。妳身上不只穿著那件禮服，還戴著銀色薄紗圍巾、仿珍珠頸鍊與成套的耳環、膚色絲襪與吊襪帶、最重要的面具和一雙藍綠色平底芭蕾舞鞋。妳考慮過高跟鞋，但在威尼斯的短暫造訪足以讓妳學到，這城市布滿了不平的石頭、水坑、溼滑的大理石、階梯與橋樑。

想到帳單令妳覺得有點不安，但雅芮安娜並不在意，妳正打算提起時，她只說了句：「我們在這間店裡可以記賬。」她交代妳：「下午先來我們家，睡個午覺，今天會玩得很晚。髮型師六點會來，她也會幫我們化妝。」她補充道，「然後，貢多拉會載我們去歌劇晚會的地點。」

現在已接近黃昏時分，妳覺得自己就像是灰姑娘。妳舒服地睡了一覺，還泡了澡，浴缸很快已成為妳在威尼斯的最愛。接下來的一小時，妳在這間豪宅裡任由其他人幫妳從頭到腳精心裝扮。終於，妳和雅芮安娜都著裝完畢，妳對著十八世紀的鍍金鏡子再一次欣賞自己。

也許是古董穿衣鏡那柔和倒影的關係，但妳幾乎認不出自己了。髮型師幫妳設計的髮型露出了妳的後頸，讓脖子看起來更修長。肩膀上抹了奢華的亮粉乳液，在馬甲的柔軟羽毛中格外顯眼。

雅芮安娜穿著文藝復興時代金藍相間的錦緞禮服，戴著昂貴的珠寶，頭髮精心往上盤起。妳們都選好了面具——她選了傳統的黑白半臉面具，妳則選了只蓋住眼睛的羽毛面具——隨後妳們一起去和男士們會合。

克勞帝歐和他父親在樓梯口等妳們，兩人都穿著優雅的白色荷葉邊襯衫、復古長褲與馬靴，外搭帥氣的黑色長大衣。

他們一臉驚訝地看著妳現身，妳慢慢走下樓，對於自己的美麗胸有成竹。妳並不欣賞老克勞帝歐的驚嘆與讚美，但妳喜歡他兒子那樣大膽地盯著妳。

沉默先生也穿著類似的服裝，他正走進來通知你們，貢多拉已準備就緒，一看到妳話就說不下去了，只能傻傻盯著妳看，不發一語，眼裡都是讚賞之意。

你們離開時，小凡衝了進來，還穿著牛仔褲。「對不起，各位，我遲到了。哇！」他停下來對妳和雅芮安娜吹口哨。「女士們，妳們看起來真是美極了！聽著，別等我了，我搭水上計程車去，跟你們在劇院會合。幫我留個位子！」最後那句話是向著妳說的，還對妳眨了眨眼。

他消失後，其他三位男士都戴上黑色三角禮帽，面具遮住了整張臉，只露出嘴巴，看起來就像一群英俊的強盜。妳被接到其中一艘貢多拉船上，當時情況有點混亂，因為老克勞帝歐想要坐妳旁邊，但被他兒子斥責放棄。妳很慶幸最後沒有半個人掉進河裡。妳往後靠坐著紅色墊子，這樣就可以清楚看到運河與皇宮，夢想著在河道兩岸的生活。

有另外幾位歌劇晚會的賓客也與你們一起出發，小型船隊啟航後，船夫輕巧地撐著船向前行進，船頭有個胖子開始唱歌，用低沉的中音唱出著名歌劇的詠嘆調。

如果是在其他地方，這樣做就有點太誇張了，但在這裡則顯得稀鬆平常，妳被迷住了。「我以為是由船夫唱歌？」妳問克勞帝歐，他解釋這是個常見的誤會——通常他們多半是聘請專業樂手來唱歌。

很快地，你們抵達了外觀布滿細緻大理石雕刻的皇宮，看起來就像一整片上了漿的蕾絲。妳現在已經很習慣跳上微微搖晃的船塢與碼頭，還能夠舉止優雅地走進建築物，好像搭船抵達目的地對妳來說是家常便飯。

皇宮內部有著數不清的吊燈、樑柱和繡帷，衣著華麗的人用不同語言彼此交談，聲音幾乎蓋過了弦樂四重奏。妳眨眨眼，站在角落的不正是某位名門二代嗎？妳無法確定，因為幾乎所有人都戴著面具，但室內依然充滿了飛吻和笑聲，穿著十八世紀傳統服裝的侍者端著以圓杯盛載的普羅賽柯氣泡酒和開胃小點穿梭在人群中。

忽然有人擊掌示意，你們紛紛往客廳移動，裡面已經架設好一排排的座椅。你們在舞台前找到位子坐下。指揮帶領著小型樂團，腋下夾著自己的小提琴，鼓掌聲結束後，「茶花女」的序曲響起。

妳坐在兩位克勞帝歐之間，他們將印有浮雕的節目單遞給妳，妳很快地沉浸在樂聲當中。如此近距離地欣賞歌劇感覺非常特別，歌手近在咫尺，連妳自己都有點驚訝的是，妳真的很喜歡。

不過，天堂內也有煞風景的毒蛇。第一幕才過了一半，老克勞帝歐的手就摸上妳的大腿，妳把他的手撥開，往他的方向甩回去，但他顯然以為妳在玩遊戲，幾分鐘後，他的手又來了。

「請你停止！」妳嘶聲對他說，但只看見他用色瞇瞇的微笑回應，面具使妳看不見他的表情，但他的手更往上了。喔，討厭。妳不斷交叉雙腿挪動身體，終於安然撐過第一幕。歌手還在鞠躬下台，妳知道尋找外援的時候到了。

「真對不起，」妳在年輕的克勞帝歐耳邊低語。「但我需要跟你換位子。呃，你父親……」

所幸他馬上就明白了妳的意思，他瞪了他父親一眼，然後輕聲回答：「沒問題。」你們全都前往另一個更加燦爛奪目的房間欣賞第二幕表演，在最後關頭，妳和克勞帝歐換了位子。

這樣好多了，妳開始放鬆下來，陶醉於這場神奇的體驗——妳那如童話般夢幻的服裝，四周滿是戴著面具的陌生人，酒精在妳的血液中發酵，以及浪漫且彷彿聽過的詠嘆調。是妳在幻想，還是克勞帝歐的腿正貼著妳磨蹭？妳悄悄往他身邊靠近，他沒有移開。有隻手正在撫摸妳的肩膀……這是個好預兆，直到妳發現克勞帝歐的雙手都規規矩矩地放在腿上。噢，不會吧。老克勞帝歐的手越過他兒子，正開心地撫摸著妳。現在怎麼辦？

妳決定，非常時期需要非常手段。甩開他的髒手後，妳決定依偎著克勞帝歐，整個身體緊靠著他。他吃驚地看了妳一眼，隨即發現情況有異，立刻伸手摟住妳的肩膀，就像是一面人肉盾牌。他溫暖乾燥的手碰觸著妳裸露的肌膚，妳輕輕地打了個哆嗦。

很快地，第二幕結束了，所有人都離開座位，啜飲更多的普羅賽柯氣泡酒，在人群中周旋交際。妳閒晃離開，欣賞著文藝復興時期的聖母畫作，等到妳再次抬頭時，室內已經空無一人。

但克勞帝歐站在門口，那一身大衣與盜賊帽的打扮很有氣勢。他示意妳跟著他走。他沒帶妳回去聽歌劇，反而走向幽暗的通道。妳小跑步跟上他，有點摸不著頭腦，但他停下來等妳跟上，讓妳更開心的是，他給了妳一個短促的熱吻。

他再次邁開步伐，大衣下擺在腿邊飄蕩。妳牽住他的手要他停下來，這次換妳吻他，吻著那對讓妳魂牽夢縈的性感雙唇。他推開妳，在一臂的距離外低頭凝視妳，雙眸在面具後閃閃發光。他似乎感到滿意，點點頭，禮貌地把妳的手拉到唇邊親吻，接著帶妳通過豪華大宅，走下樓梯，經過一條似乎是祕密通道的地方，你們的雙手始終緊握。

下一刻，你們就走進了寂靜河邊的夜空之中。克勞帝歐繼續向前，妳跟著他。幸好妳決定穿芭蕾舞鞋，要是穿高跟鞋，這種速度會摔死妳的。轉過一個街角，你們來到一座前無去路的拱門，它直接通往另一條運河。威尼斯隨處可見的古舊街燈照亮著它。克勞帝歐把妳帶到拱門下，隨即擁妳入懷。

妳感到堅硬的勃起頂著妳，覺得受寵若驚——誰會知道妳對他有這麼大的影響力啊？妳的面具和戲服，周遭的環境，既大膽開放又親密隱蔽，妳滿腦子胡思亂想，同時在他懷裡融化，頭暈目眩，小腹輕輕往前表示歡迎地抵著他。他的手伸進妳的馬甲，妳輕聲交代他要小心那些脆弱的羽毛，他捧出妳的雙峰時妳呻吟一聲，夜晚的空氣並不冷，但有點濕意，濃霧也漸漸在水面上凝聚。

不過，妳有克勞帝歐的手為妳溫暖愛撫。妳稍稍往後退，對他展示出自己，讓他在妳硬挺的乳尖周圍撫弄。

妳從他的肩膀往下一路撫摸到他的胸膛，不疾不徐地探索高級布料下的肌肉。隨後妳大膽地用手包覆住他的胯下，使他低吼出聲，再次深深親吻妳。他的面具平滑冰冷地貼著妳的臉，他的唇舌卻溫暖活躍而令人愉悅。

你們親吻時，克勞帝體貼地用大衣將妳牢牢包裹起來。等妳不再有走光的疑慮，他把妳抬起來換個位置，妳的腳踩到一個突起物——這也使妳的私處與他的鼠蹊部齊高。他的大衣很暖和，聞起來有他的古龍水味道，正好形成了妳的肌膚（更重要的，妳的服裝）和拱門冰冷石牆間的屏障。

「這是你的隱形大衣嗎？」妳問。他「嗤」地一聲笑了出來，使妳吃了一驚——妳絕對想不到克勞帝歐喜歡讀《哈利波特》。

同時，他的手正設法突破妳裙子的層層薄紗。他碰到了絲襪和吊襪帶，與兩者之間的柔軟大腿肌膚，你們倆都呼吸一窒。

他低語。「妳確定嗎？」他的聲音，還有口音——似曾相識。妳愣了一下，然後掀起他的面具，露出他的臉。

喔，老天啊，是小凡！妳嚇得往後退。「你在這裡幹什麼？」妳壓抑住尖叫。

「我正在享受與妳一起的時光啊，應該不會看不出來吧。」他說著，有點困惑。「有什麼問題嗎？」

「我以為你是你哥哥！」妳抱著頭哀嚎。

「什麼？妳在開玩笑嗎？妳是說——」他看起來和妳一樣驚慌。

「真對不起。但你們的服裝跟面具一模一樣啊！我怎麼會知道？」

「可惡。」小凡脫口咒罵，妳並不怪他。「我真不敢相信，」他說，「我還以為我用魅力征服了妳。」

妳現在該怎麼做？小凡很性感，妳也很興奮，不確定自己想就這麼停下來。但克勞帝歐怎麼辦？妳不能就這樣隨便轉移目標！或者，其實妳可以？

和小凡繼續完成做到一半的事，請翻至第177頁。

立刻逃走並回到歌劇晚會，請翻至第183頁。

妳和小凡繼續發展下去

陰影遮住小凡的臉，所以妳看不出來他在想什麼，但再強的自尊心在這種情況下也會受傷，被錯認為另一個男人，而且還是自己那位高富帥的哥哥。

「小凡，」妳輕聲說，「對不起，我來威尼斯是要見克勞帝歐，至少我以為是這樣。但你知道嗎？剛剛吻我、愛撫我、想要我、讓我開心的人，是你，而我也想要你。」

妳靠向前再次吻他，裸露的雙峰緊貼著他的胸膛。他猶豫了一會，接著再次親吻妳。這次的吻很貪婪，而妳也以相同方式回報。妳極度渴望這個男人，就在此時此地。妳手忙腳亂地扯著他的長褲，不太熟悉古時候的衣服是怎麼穿的。

他被妳急切的努力逗笑了，引導妳的手去摸他渴切的肉體，幫妳將它從衣服裡解放出來。它在妳手中悸動，火熱、滑順，堅硬得妳都能摸到表面的血管。

妳突然想起安全問題，妳從沒想過今晚的配飾還需要包括保險套，但奇蹟發生了，小凡從大衣裡拿出一個保險套，他用牙齒咬開，你們聯手拉下妳的蕾絲丁字褲，讓妳放肆大膽地一絲不掛。

妳靠在他的懷中，**沒穿**底褲，雙峰彈出馬甲之外，細緻的紗裙被掀過腰部。但妳有他的大衣擋著，所以妳抬起一條腿勾著他的腰，妳從沒這麼大膽過。

他回應著妳的邀請，手放在妳的兩腿根部，差一點點就能碰到妳的小穴，妳心中充滿期待。接著，他的手指往上移，先是一隻，然後兩隻，用力按壓著妳雙腿間的溫暖沼澤。

「老天，妳濕了，」他咬著保險套喃喃地說，「好美妙的感覺。」

「別讓我求你。」妳回答，把小鋁箔包搶過來撕開，然後小心地幫他戴上。「好了，可以開始了。」妳喃喃說，勾住他臀部的腿抬得更高，飢渴地想要他堅挺的勃起。

他沒讓妳失望，立即頂住妳，急切地想要進入妳，尖端挑逗著妳小穴的入口。妳用了幾秒鐘調整位置，他一手扶著妳的臀，然後開始滑入往上頂，剛開始速度緩慢，接著用力地一次頂到底。

妳告訴他，他的硬挺讓妳感覺好舒服，他開始在妳體內抽動，先是搖撼，然後更猛、更深地插入，每次的衝刺都幾乎把妳抬離地面。

妳不習慣站著做愛，覺得很奇怪，但卻是舒服的那種，妳必須抓好小凡的身體才能保持平衡，把自己全然交給他，尤其是當他更加用力衝刺時。妳忍不住哭喊出聲，配合著他的節奏，急切地想達到高潮，但妳不確定這個姿勢足以讓妳放鬆。

小凡似乎讀到妳的心思，他的手往下移，捏擠著妳臀部的柔軟肌膚，然後輕輕將妳抬起。現在妳雙腿一起箍著他的腰，手臂摟著他的脖子，身體往後靠著牆，大衣的厚實布料減緩了不適。小凡的手支撐著妳，讓妳緊緊裹住他的勃起，妳放縱自己，享受著他更深、更快的衝刺。妳模糊地意識到，你們發出的聲音在拱門空間裡被放大，也因附近的河水而變得模糊，讓這次經驗更加夢幻。

妳感到快感漸漸累積，高潮即將來襲，暗自祈禱他能繼續衝刺下去。第一波快感隨即竄流過妳全身上下，妳的小穴不斷收縮，緊裹著他抽搐不已。妳因釋放的快感而哭喊，貼著他的脖子壓抑住呻吟聲。妳無力的雙臂摟著他，祈禱他不會讓妳跌下去，同時間他在妳體內用力抽動，隨著暢快的釋放發出怒吼。

過了好一會，感覺地球似乎已不再轉動，妳離開小凡的懷抱，如義大利麵條般軟趴趴地滑到地面上。幸好，他把妳扶了起來。

「哇，」妳說，他跟著附議，「的確是，哇。」

妳花了幾分鐘整理儀容，檢查耳環是否還在，把頭髮梳順——妳確信衣服上到處都有口紅的痕跡，因為小凡的臉上沾得到處都是，還有化妝師畫在妳眼皮上的那些金粉。妳一邊咯咯笑個不停，一邊用他大衣的衣角試著幫他清理乾淨。

你們終於看起來比較像樣了。「我想我們該回去找其他人了，」妳說，「可不能讓他們派人出來進行大搜索。」

他側著頭看妳。「我實在不喜歡歌劇。聽我說，剛才的一切實在非常美妙。我們一起逃離這座城市如何？明天我要去策馬特[10]滑雪，我朋友在那裡有間小屋。什麼好玩的都有，大壁爐、熱水浴池等等。想不想一起去？」

妳沒想到他會來這招。現在怎麼辦？放下一切跟著小凡走？妳確實很心動，尤其是在剛剛的神奇體驗之後。但你根本不認識他。也許對妳來說他太狂野不羈了。還有，妳該怎麼跟克勞帝歐解釋？也許妳應該留下來？誰知道威尼斯還有什麼好玩的呢？

和小凡一起去冒險，請翻至第181頁。

要從小凡身邊離開，請翻至第183頁。

妳決定和小凡去冒險

妳深深看著小凡，試著看穿他那虛張聲勢與花花公子的行為。他鼻子上的雀斑讓妳想像起他小時候的樣子，他一定是個寂寞的孩子，有個生活奢華的母親和到處留情的父親，小小年紀就送他出國念寄宿學校。難怪他變得愛跑趴——不然他可能就會把自己關進殼裡，不與任何人溝通。

他滿懷希望地對妳微笑，威尼斯突然變得太正式、太憂鬱，像是一個老是在回顧過去，卻也美麗脫俗的地方。而且，妳並不欠克勞帝歐任何解釋，畢竟妳和他的網路戀情原來只是一場妄想。

妳伸手牽著小凡，心裡設想著與他開心共度一段時光的可能性，加上皚皚白雪和冷冽的空氣——以及在熱水浴缸裡的私密夜晚。妳不妄想跟他會有什麼未來，但誰知道會發生什麼事呢？至少，妳會有很棒的故事可以說給孫兒們聽。當然，要等到他們十八歲以後。

---

10 聞名全球之瑞士滑雪勝地。

妳微笑，抬頭看著他灰色的眼睛。「嗯，那裡有熱巧克力嗎？」

「那裡一定有熱巧克力。說實話，我也可以向妳保證有鮮奶油，會出現在一些令妳意想不到的地方。」

「說定了，」妳說，「就去策馬特。現在，跟我回飯店吧！我需要人幫忙打包行李。」

他露出大大的笑容，然後俯身親吻妳。妳想著，也許（只是也許），妳終究還是找到了一位拉札利先生。

（全書完）

妳決定離開小凡

妳看著小凡的臉，那信心滿滿的微笑，其實有點太過自信了，讓妳不太好受。他覺得自己實在太屌了，雖然名副其實。「你說的熱水浴缸，你的意思是只有我們兩個人一起泡，對吧？」

「哎，當然不是！那地方是雜交中心。很好玩的。我必須承認，我已經等不及看妳和蘿雯娜親熱，或者，等等，妳和蒂芬妮……」

「你沒機會看到我和誰親熱的，小凡。剛才很有趣，但已經結束了，現在開始我自己一個人也會很開心。」說完，妳走回豪宅，也許還來得及趕上最後一曲詠嘆調。

請翻至第184頁。

妳回到歌劇晚會

回到莊園豪宅後，妳靠著音樂聲成功穿過古老建築物裡迷宮般的甬道，半路上還偷偷進入一間寬敞的浴室（這小小城市到底用掉了多少大理石？難怪要沉到海裡了），快速地補了一下妝。

儀容恢復端正之後，妳躡手躡腳地走回廳裡去，女高音正在表演死在愛人懷中的戲碼，但這悲慘的命運並不影響她高聲吟唱的能力。

妳等她唱完逐漸升高的音符，掌聲與「安可！」的歡呼響起，妳才拔腿奔向克勞帝歐，他正站起身來四處張望。妳走過去盯著他看：「克勞帝歐，是你吧？」

透過面具回望著妳的眼睛的確是深褐色。「當然是我，」他說，「妳跑去哪裡了？我有點擔心。」

「喔，呃，我出去走走，然後有點被……耽擱住了。別擔心，我回來啦。」

他牽著妳，帶妳回到侍者派送精緻小點心的地方。弦樂四重奏正在演奏歌劇中較為人熟知的組曲，幾對男女跳起了華爾茲。

「請容我稱讚，妳今晚看起來非常可人。」他一本正經地說。

「我也想對你這麼說。」妳回答。他看起來很詫異，妳補充。「謝謝你，因為有人幫我。你確定雅芮安娜不是神仙教母轉世嗎？我很感激她，也很感激你，謝謝你們為我做的一切。今晚……非同凡響。接下來呢？」

「接下來，我想問問我明天是否有榮幸與妳共進晚餐，能多認識妳一些就太好了，尤其是在妳被我們家人吃了豆腐之後。」

妳嗆咳了一下。哎呀，他要是知道就不妙了。妳試著忘記小凡的手，還有身上那些剛被他摸過的地方。

「妳沒事吧？」克勞帝歐依然禮貌地問。

「沒事，當然沒事，只是被剛剛那口酒嗆到。」妳露出最動人的微笑。「我很樂意與你共進晚餐，謝謝你。」

「太好了，如果妳有特別想去的餐廳，請告訴雅芮安娜，她會安排訂位。不然我就八點鐘去飯店接妳，他們的菜單很棒，我推薦伏特加干貝燉飯。」

接下來的夜晚時光在香檳、音樂和閃爍微光中度過。當妳終於躺在自己的枕頭上，幾乎累得無法作夢。但就在妳睡著之前，妳承認對明天的晚餐感到很興奮。終於要和克勞帝歐共度美好時光了——也許妳終究有機會能像童話故事一樣，有個幸福美滿的結局。

請翻至第187頁。

妳和克勞帝歐共進晚餐

終於。完美的一天要用完美的夜晚做為結束。妳下午在飯店裡做了全套SPA——做臉以及手腳美甲。晚餐就像黑白電影裡的場景一樣，角落有鋼琴師輕聲彈奏著爵士名曲。克勞帝歐是完美的男伴，聰明又有魅力。他對自己劍橋大學歷史學士和歐洲某大商學院的企管碩士學位非常謙虛。他問起妳的背景、家人、朋友和事業。最棒的是，他整晚一直對妳微笑。每次他一笑，妳就心花怒放。

妳多喝了幾杯玫瑰紅酒壯膽，問他為什麼對妳的生活感興趣。畢竟，你們兩人的生活大不相同。

他聳聳肩。「我知道我不該抱怨，但我的生活圈太小了，身邊都是那些殘存的、手頭上有點錢的歐洲貴族，還有來自蘇俄和其他地方的獨裁大亨。他們並沒有什麼不同，日復一日，來來去去。同樣的臉孔，同樣的八卦，同樣的社交婚禮、名牌服飾。對我來說，這一切已經無聊到每個女人看起來都面目模糊的地步。她們都太瘦了，膚色曬得太深，可怕的是她們看起來都不會老，她們似乎……」他頓了一下，手指在空中比畫，「沒有內涵。相較之下，妳是如此清新脫俗。」

妳吞下最後一口榛果奶酪，殷勤的服務生問你們要不要喝點甜酒。妳看著對面的克勞帝歐，他眼中的光芒絕不是妳憑空想像出來的。妳深吸一口氣：「回我的套房喝杯餐後酒如何？」

「我很樂意。」他說著，敏捷地起身為妳拉開椅子。妳鎮定地走向小電梯，胃裡的蝴蝶翩翩飛舞。你們一走進電梯，他就在妳耳邊輕聲說：「我還以為妳不會問呢！」

他的嘴離妳好近，就是那對害妳不斷胡思亂想的美麗雙唇，不斷渴望一親芳澤的嘴。慾望使妳全身發顫，近乎無助地抬頭看向他，雙唇微啟。妳全身的細胞正說著**求求你求求你**，他更靠近了，近得妳能感受到他肌膚散發出的熱氣——此時電梯忽然停下，門打了開來。

「晚安！」正在等電梯的老婦人打招呼，你們和她擦身而過走出電梯，憋住一臉的笑意。

妳抓起克勞帝歐的手，還沒回到妳房間，妳已經不顧廉恥地拖著他走。你們跌跌撞撞地進門，終於迸發了熱吻，火熱有力，幾乎要吞噬掉彼此，舌頭探索衝刺，牙齒相互碰撞，同時撕扯著對方的衣服。妳很高興地發現，克勞帝歐從優雅有禮的都會紳士變成了一頭猛獸，他根本是把妳推倒在床上，接著開始奮力脫掉那身訂做的衣物，但他沒有停止吻妳，掠奪著妳的臉龐與脖子，輕咬妳的肩頭。

最後他身上只剩下一條雪白的內褲，妳則穿著最心愛的內衣，精巧的魔術胸罩讓妳的乳溝如峽谷一樣深，還有相配的丁字褲，由乳白絲綢製成，繡著浮雕花紋。

妳在他面前踮著腳轉圈，他對妳伸出手時，妳往後彈開，帶著挑逗意味。「且慢……好東西只留給有耐心的人。」妳搖著翹臀，伸手到背後解開胸罩，慢慢拉下肩帶，一邊搔首弄姿一邊讓它掉落在地。他低吼著想抓住妳，妳咯咯笑，沿著床邊跑開。

「我的下一步呢……」妳開始慢慢拉下小巧的底褲，不停轉身，對他展示自己。克勞帝歐再也按捺不住——他對妳展開行動。

這場性愛不是妳想像的那樣。請翻至第190頁。

這場性愛是妳一直夢寐以求的。請翻至第197頁。

這場性愛與妳的想像不同

克勞帝歐與妳一起躺在床上，妳身上除了特地為當晚穿的超殺高跟鞋外，什麼都沒有，他吻妳和撫弄妳雙峰時的飢渴，證明妳長久以來夢寐以求的性愛即將展開。他的觸摸讓妳每個部位都熱情如火，而且有些地方他根本還沒碰觸到。

「克勞帝歐，」妳喘著說，「我的皮包，內袋裡有個保險套。」

他拉開距離，盯著妳看。什麼？他在噘嘴嗎？「我以為妳都，呃，處理好了？避孕丸之類的？」他問。

妳躺在床上瞪著他，難以置信。他該不會在等著妳解釋吧？這傢伙到底是活在第幾世紀？

妳的表情大概傳達出了某種訊息，他嘆口氣。「好，好，我去拿。」他在妳皮包裡翻找保險套，然後戴上它時，妳試著重新培養情緒。「需要幫忙嗎？」妳嬌嗲地問。

「不，不用，沒問題。」然後他露出溫暖得足以融化巧克力的微笑，妳胃裡的蝴蝶再次開始翩翩飛舞，你們熱情地親吻，他掰開妳的雙腿跪在中間。

他很急切，但沒關係，妳也很急切。他的勃起頂著妳時，幾乎讓妳愉悅地嗚咽，然後他推進妳，充滿妳。妳伸出手臂摟著他的脖子，呢喃喚著他的名字，臣服於他的衝刺帶來的快感，他愈來愈快，太快了，妳跟不上他的節奏，然後，他大叫一聲，表情痛苦，他射了。

他像被槍殺一樣撲倒在妳身上，妳體內的高潮蓄勢待發卻無處可去，妳的小穴抖動著，是因為失望，而不是快感。好吧，妳咒罵自己，這場性愛才兩分多鐘就完事，但那應該只是第一輪。夜晚才剛開始。

終於，克勞帝歐的呼吸開始回復正常，妳拍拍他的肩膀，他明白妳的意思，從妳身上翻下來往旁邊躺。「該我了。」妳羞怯地說，而他只發出呼嚕聲應付妳。

「呃，克勞帝歐？」妳逼問。「我呢？給你點提示。」說完，妳抓著他的手往下摸妳的私處。

他對妳皺眉頭。「妳在幹什麼？等等，妳的意思是我沒有滿足妳？」

妳大驚失色。「不好意思，我以為性愛表示兩邊都一樣有機會獲得高潮。」

「什麼？」他一臉疑惑地看著妳。

「愉悅是應該要彼此分享的，你知道。你弟弟就似乎很了解——」

「我弟弟？你和**小凡**？」

糟糕，妳說溜嘴了。克勞帝歐看起來像是中風要發作了。「動作還真快，妳這個騙子——」

「不是那樣的！那是意外！我發誓我以為他是你！」

「意外？我真不敢相信！妳還要用那個認錯人的藉口嗎？妳的任務是睡完我全家人嗎？」

現在，你們兩人在床的兩邊各據一端，妳抓著枕頭遮掩自己的裸體。原先的火熱慾望已經煙消雲散。這男人並非妳想像的那樣，妳只希望他快點離開，才能打開小冰箱搜刮一輪以便平復心情。妳知道裡面有巧克力和洋芋片兩位好朋友。

幸好，你們想法一致，妳沒看過衣服穿得這麼快的男人。他調整袖釦時，態度軟化了一些。「我道歉，剛剛說的話不適當也不公平，但事實是，我們還不了解彼此。而我們似乎對彼此都有先入為主的偏見。」

妳點點頭，怒氣漸漸消失。他說得對，妳對他有著太多期待，偷偷在腦中把他幻想成白馬王子。其實他只是個擔負了太多責任的傳統生意人。而且，老實說，房事技巧欠佳。妳挖苦地想著，做為一個如此富裕又帥氣的男人，怎會沒有女人願意冒險先試用並且教導他一番。跟他上過床的女人可能都只會阿諛奉承。

「克勞帝歐，也許我們該就此道別了。過去幾天的一切令我難忘，我會永遠感激，但這不是屬於我的世界。」

「我想妳說得對。當然，妳可以繼續在這套房住到週末，需要什麼就隨時說，飯店會為妳安排。」他正式地伸出手，妳明白他希望妳與他握手言和。

妳一手還抓著枕頭擋在身前，另一手伸出去，「替我向雅芮安娜道別，並且道謝。」

然後他就離開了，剩下的威尼斯美夢也跟著他離去。妳長嘆了一口氣，至少妳試過了。而且……妳還是可以留在套房多住幾天，不然浪費掉就太可惜了。跟克勞帝歐沒有結果又怎麼樣？為什麼不能自己一個人享受威尼斯呢？妳覺得心情好些了，走進浴室洗泡泡浴，手上還拿著一大塊巧克力。

輕輕的敲門聲吵醒了妳。時間還早，早上八點都不到。妳披上睡袍，透過貓眼往外看，站在走廊上的沉默先生嚇了妳一跳。難道克勞帝歐改變主意，不想讓妳繼續住在商務套房了？

妳有點惶恐地打開門。「什麼事？」

「小姐，我可以進去嗎？」

妳嘆口氣，示意他進來。「我知道你為什麼來。」

他看起來有點詫異。「是嗎？」

「是。克勞帝歐叫你來趕我走，對吧？別擔心，我會乖乖離開。」

「不，不是這麼回事。我只是來問問妳有沒有什麼需要。」

「真的嗎？」

他微笑，表情馬上從深不可測變成溫暖友善。「是真的。我知道妳和拉札利家出了點問題。」

那樣說實在太委婉了。妳坐在床上想，妳到底來這裡做什麼？妳真的要留在這裡，讓拉札利家資助妳的假期嗎？突然，妳滿腦子只想離開這裡。「你知道嗎，我覺得我該離開了。」

「離開威尼斯？」他看起來完全摸不著頭緒。

「也許吧，離開這裡或者再去找另一間飯店。」

「在雙年展期間不容易，」他再次微笑。「但我有另一個選擇。來，打包行李吧。」

「我們要去哪裡？」

「到時候就知道了。」

妳把衣服丟進小象行李箱，把歌劇晚會的服裝鋪在床上，附上給雅芮安娜的紙條。妳關門前再看了一眼，訝異自己竟然一點也不後悔。

妳以為要走去碼頭搭水上計程車，但沉默先生拎著妳的行李，帶妳走過碎石路巷弄，經過教堂與外面的中古世紀老井，孩童在庭院裡玩耍，老人在旁邊的社區酒吧外抽菸。最後，他在一片褪色紅牆的格子門外停下來，上方的陽台種著幾盆牽牛花，掛著幾排洗好的衣服。

他敲門，一個矮胖的老婦人打開門，露出大大的笑容，伸手抱住他。

「達米亞諾！」她邊說邊在他臉上吻個不停。

妳的表情令他哈哈大笑。「來，見過我母親。」她立刻過來擁抱妳，親吻妳兩邊臉頰。

你們經過一個陰暗涼快的門廳，上樓走進一間小巧的房間，裡面有張老式的鍛鐵床，鋪著漿過的亞麻床單，牆上掛著十字架，還有厚實黑檀木製成的古董桌。所有東西聞起來都像是上過蜜蠟，某處還傳來一陣鼠尾草和大蒜的味道。

「這是妳的房間，並不豪華，但我們會盡所有努力讓妳覺得賓至如歸。我媽媽不太會說英文，但我有預感妳們會相處得很愉快。」

這間寧靜的小房間立即讓妳感到像回家一般自在，但牆上掛的小幅彩色抽象畫和簡約裝潢有點不太搭調。「這些畫很美。」妳邊說邊指著其中一幅，沉默先生的母親立刻笑容滿面地說了一連串義大利文。他有點害羞地說：「這些是我畫的。」

妳的新環境很樸實舒適，在造訪過尊貴華麗的飯店和許多不同的豪門巨戶後，這裡對妳而言幾乎是種解脫。妳嘆了一口氣。

「我該回去工作了。」達米亞諾說。

妳發現自己希望他能留下，才正準備開口，他就接著說：「但也許我們今晚可以共進晚餐？不會是妳已經吃慣的東西，但……」

「那樣很好。」

他再次露出那溫暖的微笑之後，轉身離開。

妳坐在床上。也許沉默先生就是妳一直在等待的人，也許不是。但妳不會急於找出答案。妳換上一雙舒適的鞋，對自己微微一笑。於此同時，妳還要繼續與這個迷人的城市談戀愛。

（全書完）

這場性愛與妳夢寐以求的一樣

妳往後倒在床緣，克勞帝歐俯身向妳，用健壯的手臂將妳困住。「我抵擋不了妳的魅力。」他喃喃說道，深深地吻妳，舌頭在妳的嘴裡四處探索。妳明天臉上一定會有明顯的鬍碴疹。

他撫摸妳的頭髮與臉頰，輪流輕咬妳的耳朵，然後來回吻著妳的脖子，使妳飢渴到瀕臨瘋狂。接下來，他慢條斯理地挑逗妳，一路往下親吻著妳的肩膀。妳呻吟懇求，他的舌頭終於來到妳一側的乳尖，然後到另一側，輪流舔吸，他的手捧著妳的雙峰，穩穩地配合他的嘴，妳在他身下愉悅地扭動。

他從妳身上離開，妳發出淺淺的抱怨，又因他撫摸妳那遮掩蜜穴的濕透小底褲而轉為呻吟。他挑逗的手停留在妳雙腿之間，同時脫掉自己的內褲，露出濃密黑色草叢裡那粗大黝黑的勃起。現在輪到妳了，他慢慢地拉下妳的丁字褲，妳挪動著臀部幫忙讓他更順手。

「為我張開雙腿，」他輕聲說。慾望使妳無助地高高抬起雙膝，雙腿大張，完全地暴露自己。「真美。」他喃喃地說，手指再次伸往妳的小腹與蜜唇開口處。

「我受不了了，」妳終於說出口，「求求你……我的皮包內袋裡有保險套，現在就占有我吧！」

克勞帝歐快速地將保險套戴上他的勃起，在妳雙腿間站穩身子，將妳抵在床沿的小腹輕輕抬起拉向他。這角度好神奇，他的尖端輕輕地頂著妳花園的入口。他用臀部畫圈畫了好一會，挑逗著妳，逼妳扭著身子哀求他，然後溫柔地長驅直入。

他的尺寸讓妳驚呼，比妳過去體驗過的都要粗大，他抬起妳的腿，將妳依然穿著銀色高跟鞋的腿搭在他肩上，轉動著妳的骨盆讓他能更深入挺進。妳不記得曾有人插進這麼深，這使妳欣喜若狂。妳雙手攤開，向小穴裡逐漸爆發的快感投降。克勞帝歐的抽插緩慢但扎實深入，高潮開始在妳的甬道裡蕩漾，妳緊縮著，然後抽搐——高潮爆發了，一波接著一波。每次潮水退去，克勞帝歐就再次攻頂，妳弓著身子再次哭喊出聲，直到他也發出低吼勁射釋放，緊翹的臀部不停起伏。

許久之後，他脫去妳的高跟鞋，親吻妳的腳背，吸吮妳的腳趾（幸好妳之前做了美甲）。他的嘴開始隨意地沿著妳的腿親吻不停，整個天堂般愉悅的過程重新再次開始。一切都結束後，妳在他懷中沉睡，雙雙感到心滿意足。

隔天早上，你們一起洗了個浪漫的泡泡浴。妳知道那浴缸大得足以容下兩個人，但即使如此，你們洗完之後地上還是濺出了一些水，你們聞起來就像剛在玫瑰花園翻滾過一樣。

你們終於穿上衣服，兩個人都餓壞了，於是去飯店的屋頂花園吃早餐。聖馬可廣場上銀色水池的景色，瀉湖另一端聖喬治馬焦雷島上安詳的教堂建築，史上最可口的班尼迪克蛋，還有屬於妳的白馬王子正在餐桌另一頭對妳微笑——這一切真是太完美了。

愉悅的氣氛被克勞帝歐的手機震動聲破壞了。他看了一下螢幕，皺起眉頭。「真抱歉，恐怕我得接這通電話。」

他沒好氣地對著手機說了一句「快講」，然後又是一句「我現在在忙。事情可以等。」但是電話另一頭不肯讓步，克勞帝歐改用連珠砲似的義大利文進行對話，態度愈來愈不耐煩。

他終於掛斷電話，嘆了口氣。「我必須再次道歉。我在尼斯見過的幾個客戶來找我，想要談清一些細節，他們堅持要馬上見我。如果能推掉的話我一定會，但他們說不能再等了。希望妳不會介意他們現在過來加入我們？」

喔，好吧，這不是妳心中期盼的美好早晨，但妳已得到滿足，這時候大方點也無妨。於是妳甩甩手說：「沒問題！」

幾分鐘後，沉默先生帶著一群不苟言笑的生意人抵達飯店。他們拉開你們桌旁的椅子，妳不喜歡他們打量妳的樣子，更不喜歡其中一位留著三分頭、兩眼無神的男士一直盯著妳的胸部看。接下來的對話以法文進行，但如果妳沒聽錯的話，其中幾位彼此之間用的是俄語。

沉默先生並未和其他人一起入座，而是靠著牆邊，保持一種蓄勢待發的站姿。會議中途，他的電話響了一聲，他伸手進外套口袋找電話。等等，那是槍套的背帶嗎？妳恍然大悟，他不是管家，他是克勞帝歐的保鑣。

突然間妳覺得這一切太過沉重。妳擁有過一段無與倫比的美好時光，但妳忽然渴望起家鄉的平凡生活，家裡牆上掛的只是義賣商店買來的畫作和具有私人意義的照片，想喝茶時也不用擔心會失手打破昂貴的瓷器，別人的尊重是來自於妳在工作上的努力表現，而不是靠家世財富或俊美外表。加上妳也不太可能有機會和一群俄國黑手黨共進早餐。妳不屬於這種世界。

妳站起來，對克勞帝歐露出一個略帶遺憾的微笑。「非常謝謝你。」妳努力用義大利文表示，接著對他說了句「再見」之後隨即從容離去。妳得去趕飛機，不然就會來不及。妳有點想回家和朋友開心討論妳的這場冒險了。

但妳轉念一想，回家並不是唯一的選擇啊……妳都已經出了遠門，何不再次孤注一擲，前往阿姆斯特丹，甚至去曼哈頓看看呢？妳還有幾天假沒休完，而由於拉札利家族的慷慨，這趟威尼斯之旅幾乎沒花妳一毛錢，所以妳也負擔得起一段新旅程。也許妳該忘掉這一切，把威尼斯的經驗從回憶中清除，看看「紐約螢火蟲」或「荷蘭男孩」是否願意接待遠方來的朋友……

再次聯繫妳的雕塑家，看他是否仍想親手創作一些作品，請翻至第52頁。
聯繫「紐約螢火蟲」，看看是否仍然能點燃他的慾火，請翻至第202頁。

妳決定前往紐約見「紐約螢火蟲」

妳喜歡「紐約螢火蟲」的其中一個原因是，他是三人中唯一還沒看過妳照片的。伯爵和「荷蘭男孩」都迫不及待向妳索取照片，這讓妳覺得螢火蟲很貼心，他似乎真的是因為妳的個性而喜歡妳，而不是根據妳精心挑選出來的照片對妳下結論。

妳重寫了大約二十次才寫好一則訊息。最後讓妳滿意的版本是：

嘿，關於你提到的事……我在想，為什麼不呢？我們見個面吧！我可以去紐約。

妳一送出訊息就變得忐忑不安。妳聽起來會不會太飢渴？太直接？太隨便？妳不知道。「紐約螢火蟲」通常會馬上回覆，但妳沒收到回覆通知。難道他並不是真心想見妳？

妳屏息等待。

十分鐘過去。

二十分鐘了。妳告訴自己沒有關係。

妳在網路上隨意亂逛，不時留意著「真愛配對」的收件匣。一個小時過去，妳已經確定自己踰越了分際，正準備登出網站，這時訊息傳來：

抱歉，剛剛有任務在身。答案是：開什麼玩笑！我當然要見妳！什麼時候？在哪裡？

呼。妳很驚訝自己竟然會感到如釋重負，但妳不確定是因為剛剛搜尋過的紐約高級商店而決定啟程前往，還是因為妳的自尊會因他繼續不理妳而感到受傷。

等一下。

妳上旅遊網站搜尋機票，有一班飛往紐約的便宜航班週三下午就可以到。最糟的情況會怎樣呢？如果他的個性與他的拼字一樣可怕，妳還是可以去暢快購物，在不夜城享受幾天幾夜。誰說得準？你們可以見個面，也許會來電，到時睡覺就會變成是妳最不想做的事。

妳打字：

星期三抵達如何？

酷。嘿……我們可以半夜見面，去帝國大廈？像《金玉盟》一樣？我那天要值班，十一點才會下班。

妳同意見面地點，那裡很浪漫，就算是妳應該也找得到，畢竟很難錯過帝國大廈。妳只希望不要像電影裡的黛博拉．寇兒一樣，於赴約的路上被計程車撞傷。在還來不及臨陣退縮之前，妳就很快訂妥機票，稍微猶豫了一下下，又順便訂了下東區迷人但昂貴的飯店，地點在二手精品街的中心，走路就可以到唐人街。

嘿，螢火蟲，就這麼說定了！

太棒惹！要不要先給妳我的電話號碼，以免妳迷路？

妳認為那是明智之舉，但卻失去了些趣味。要是卡萊．葛倫和黛博拉．寇兒人手一支iPhone，《金玉盟》的魅力就會大減。

我們保持神祕吧！

好。我怎麼招妳？嘿！不如我們都帶上紅玫瑰和《傲慢與邊見》的書吧？

妳不是第一次懷疑他究竟知不知道拼字檢查和自動校正要怎麼用。但妳懂他的意思。

像《電子情書》裡一樣。

沒錯！

老天，妳想著，這男人真的有一顆浪漫的心。妳讓自己開始作起短暫的白日夢，你們兩人一起窩在沙發上，馬拉松式地看著愛情電影，也許順便幫他擦亮頭盔……

妳在機艙走道上拖著腳步往後方走，咒罵自己竟然忘記在網路上先辦好登機手續以便選位。妳的靠窗座位在機艙最尾端，旁邊就是廁所，還好妳隔壁的座位沒人坐。妳坐定，拿出《傲慢與偏見》開始讀。妳好多年沒看這本書了，很快就專心投入了伊麗莎白的生活，跳過前面幾段以便快點進入她與達西先生初次見面的橋段。

「嗨。」

妳抬頭，看到一個身穿黑色皮衣的高瘦男子在妳旁邊的位子坐下。妳搭飛機的運氣一向不太好，鄰座通常不是哭叫的嬰兒，就是有體臭的胖子，所以妳真不敢相信今天會這麼走運。妳忍著不傻傻盯著新鄰居的湛藍雙眼猛看，他太迷人了，帥氣程度直逼浪漫愛情電影或電視劇的第一男主角。

他望著妳，有那麼一秒鐘，妳覺得那眼神不僅僅是友善。「妳好嗎？」

「我很好，謝謝。」

他對著妳的書示意。「好看嗎？」

「棒極了，是那種會讓人一讀再讀的好書。」

「啊。我個人比較喜歡李・查德[11]那一類的驚悚小說，但也一直想試試經典文學。妳忙，我就不打擾妳了。」

「你沒有打擾到我。」搭飛機時妳通常不想聊天，但這次妳想破個例。妳瞬間把書闔上。

「那麼，」他說，「妳去紐約玩，還是出差？」

「去玩。」妳說。希望每種玩法都能體驗過⋯⋯

「挺好的。紐約妳熟嗎？」

「不太熟。」

「妳會喜歡的，要我給妳一些建議嗎？我在布朗克斯長大的。」

「那就太好了，謝謝你。」

他說起哪些地區最好避開、搭地鐵的祕訣，又推薦了幾間遊客較少的餐館與咖啡廳，妳根本沒發現飛機已經起飛。

「你從事哪種行業？」妳問。

他頓了一下。「只能說我時常在旅行。」

「真神祕啊，你是旅遊作家？」

「沒那麼時髦。妳呢？」他閃避了問題，但妳決定不再追問下去，反而簡單告訴他妳的背景和工作。他看起來是真的對妳的話感興趣，彼此很談得來。妳很開心，但也必須時刻謹記，別忘了自己去紐約的真正原因，和高大、黝黑又英俊的乘客調情不在妳的計畫中。**想著消防員，要想著消防員**。

但誰能怪妳想要給妳的旅伴一點小小鼓勵呢？他的英俊、魅力與友善態度實在迷人至極，聞起來有皮革和香料的氣息。但這一切也不是只有妳注意到。有一名打扮得體但褲子尺寸緊了一號、身材中等的男性空服員，推著飲料車過來的時候刻意停留了很久。

妳的鄰座點了健怡可樂，妳則選了一瓶氣泡水，免得讓自己看起來像酒鬼。空服員不情願地離開，轉去服務下一排的乘客。

妳喝到一半忽然停了下來，一陣大吼的聲音蓋過引擎的隆隆聲從前方傳來：「搞什麼鬼？馬上給我一杯香檳！」

「先生，那是不可能的，」空服員回答，「請你冷靜。」

「我說，給我香檳，馬上。」

---

11 李・查德（Lee Child）為英國懸疑小說家。

「先生，我說過了，香檳只提供給我們的會員和頭等艙旅客。」

坐在妳前兩排的嬰兒因嘈雜聲響而開始嚎啕大哭，妳解開安全帶從前座椅背上方偷看。那位叫囂的男子光頭，摔角選手的身材，坐在中間座位的最後一排。他忽然站了起來，空服員舉起雙手準備抵抗。「請坐下，先生。」他的下巴在發抖。

「我就要看看你有沒有辦法讓老子坐下。」那人的聲音含糊不清，顯然是已經喝多了。

下一秒，妳的鄰座立即向僵持的場面走去。

找麻煩的男子緊握拳頭。「你他媽的是誰？」

「聯邦空中警察[12]華勒斯。立刻坐下，冷靜下來，否則我就必須採取行動。」

難怪他不肯透露自己是做什麼的。妳聽說過聯邦空警不能隨便洩露身分。

惹事男子用手指戳了戳空警的胸部。「是嗎？你以為你打得過我嗎？」

妳的鄰座立刻迅雷不及掩耳地一把抓住男子的手腕，用力往他背後扭。

那位不守規矩的乘客痛苦地叫出來。「好啦，好啦！」

空警鬆開手，光頭男乖乖地閉上嘴坐下，周圍乘客爆出一陣掌聲。

「不要輕舉妄動。」你聽到空警對現在乖巧得像隻綿羊的惹事男子說。他走回座位，給妳一個無奈的微笑。「但願我們能繼續聊，但我最好坐過去就近監視那個人，以免他又再次發作。」

「你會逮捕他嗎？」

「如果他繼續搗亂，我會以騷擾機組人員的名義控告他。」

嗯，妳可以想像出不少比騷擾空警更淘氣的事情。停下來，妳告訴自己。妳就要去見「紐約螢火蟲」了，擁有一個猛男就夠了，不是嗎？但妳必須承認空警先生處理事情相當有一套，而妳開始覺得有點……興奮。妳需要分散一下自己的注意力。妳看到機上娛樂有傑森．史塔森的最新電影可選擇，這是妳不為人知的黑暗享受，但如果妳覺得不好看，還是可以繼續閱讀快被妳翻爛的《傲慢與偏見》。或者，也許妳可以試著打個盹——畢竟，妳不知道到了紐約會有多少時間可以睡覺……

如果妳決定繼續閱讀《傲慢與偏見》，請翻至第210頁。

如果妳決定看傑森．史塔森的電影，請翻至第216頁。

如果妳決定在座位上放鬆小睡，請翻至第221頁。

12 隸屬美國國土安全部及聯邦運輸安全局，於全美國內外航班喬裝旅客執行機密任務，維護飛安。九一一事件後更擴大編制。

妳決定重讀《傲慢與偏見》

妳再次埋頭在珍．奧斯汀精簡機智的文字裡，周遭一切全都消失不見。妳讀到小說裡妳最愛的部分——伊麗莎白前往拜訪反覆無常的凱莎琳．德包爾夫人。妳把座椅往後傾斜，坐穩身子，等不及讀到達西先生出現的那一刻……

妳正身處羅辛斯莊園的客廳，欣賞著外面綠油油的草地及矮牆外朦朧的藍色山丘。大門轟然打開。達西先生出現了，整個人異常狼狽，一縷髮絲垂散在額前。他沒穿大衣，只穿著馬褲、完美合腿的馬靴和高級麻紗襯衫，透過衣服還能隱隱看見他胸膛上的黑色毛髮。

他的情緒顯然很激動，不安地用馬鞭拍著其中一腳的光滑皮靴。「我不會壓抑我的感情，」他脫口而出，「請容我告訴妳，我是多麼熱切地愛慕著妳。」

這一幕在妳腦中播放了好多次，每次妳都想要自己改編劇本。妳的機會來了。

「先生，」妳邊說邊站起來。「你只會光說不練。」

他的表情充滿疑惑。

「我的意思是，」妳清楚地說，「我看不到你表示任何熱切的心意。你公開示愛，但我得不到確鑿證據。我要求你做出情感的表示。」

達西跨了三大步走上前來，握住妳的手，拉到嘴邊用力親吻。他溫熱的嘴唇和氣息觸碰著妳的手背，將電流傳送到妳的神經末梢。他轉動妳的手，開始親吻妳手腕內側的柔嫩肌膚，妳真的起了雞皮疙瘩。

他的嘴稍微往上移動……接著再往上……到達了妳柔軟的肘彎，妳大聲呻吟起來。他立即抬起頭，眼神充滿驚慌。

「對不起……我惹妳生氣了嗎？」他問。

「你如果停下來我才會生氣。」妳說，再次伸出手。這一回，他的嘴一吋一吋地慢慢往上，探索著妳上臂纖細柔軟的內側肌膚。他停了一下，略過妳那華麗洋裝肩部的棉布衣袖，抵達妳的鎖骨。他猶豫起來，妳幾乎可以聽到他正在天人交戰，該迎向妳那從領口邊緣呼之欲出的雙峰，還是向上親吻妳的唇。

妳出手解決他的兩難困境，妳的手指伸向他的頸背，輕輕把他勾過來，他低吼一聲後隨即往上吻住妳。有那麼一刻他似乎試著控制自己，僅僅純潔地用雙唇輕貼著妳，但妳在他懷裡融化，微微抬高臀部抵著他，放鬆妳的雙唇歡迎他更深入，他拋開所有禮儀，撐開妳的小嘴，舌頭伸入妳口中，幾乎要把妳吞吃殆盡。

愉悅幾乎讓妳因滿足而發出呻吟（妳早就知道他那高傲的外表背後藏著一頭猛虎），踮起腳尖讓他能徹底探索妳的嘴。但他個子太高，妳無法以這個姿勢支撐太久，於是妳往後退，直到妳碰到身後那座讓凱莎琳夫人自豪又得意的鋼琴。

達西跟著妳一起移動，但他有點不解——直到妳扶著他的肩膀，跳上鋼琴邊緣。妳在裙下張開雙腿，伸手撫摸他因時常騎馬而練得緊實挺翹的臀部，然後拉他貼近妳挑逗敞開的雙腿間，他雙眼大睜，眼裡充滿驚訝。

「妳當然不是……妳的意思不是……我不可能以這種方式占有妳！」他結結巴巴地說。

「為什麼不能？」妳邊說邊撩起身上的薄紗裙。幸好妳記得自己曾讀過，攝政時期的淑女會在洋裝裡穿上內衣與襯裙，但她們不穿內褲或燈籠褲，她們認為這些東西很不莊重，因為會顯出腿型。所以在層層高級布料之下，妳其實赤裸得誘人。

達西似乎想到了什麼。「要是我玷污了妳，妳就不得不接受我的求婚。事實上，如果我向妳父親自首，他也會堅持我們盡快結婚。不然他就必須與我決鬥，而妳絕不想讓他置身危險，所以妳不得不跟我一起攜手走向禮堂。」他兩眼發光。「那麼就讓我占有妳吧，小姐。」

妳像貓兒般眼眸半瞇，對他嫣然一笑，身子往後倒，把裙子拉得更高，雙腿張得更開，只讓他看一眼裡面神祕的影子。

他的喉結上下移動，開始手忙腳亂地解開馬褲的釦子，最後直接扯開，露出碩大粗壯的硬挺。妳一看到它，下半身就因為慾望而悸動，雙腿張得更開了，把裙子往上捲過腰際。

達西盯著妳猛瞧，眼珠子都快要滾出來了，尤其是當妳往下撫摸起自己那因溼滑而輕顫的蜜唇。妳伸出因沾取自己的汁液而變得濕潤的手指，碰觸著他的勃起，緊緊握住，然後輕輕把他拉向妳。你們都飢渴得不想再多花時間前戲，妳搖動著臀部迎合他，他悶哼一聲，將他的尖端觸碰著妳的入口。

「老天，妳簡直如絲綢般柔軟。」他幾乎說不出話，隨即長驅直入，使妳哭喊出聲。他好大，太大了，然後他完全進入了妳，妳的小穴努力習慣著他的猛烈插入，將妳滿滿地撐開，帶來一種非常美好而滿足的快感。

妳一隻手指繼續撫弄著小蒂，迫切地想在他之前高潮，妳意識到這會是場狂野短暫的性愛。但他不斷衝刺抽插，展現出驚人的控制力和持久力，直到妳的整個世界只剩下在妳體內的硬挺和他緩慢深長的抽動，高潮在下半身一波波醞釀堆積，即將瀕臨爆發。

高潮正要襲來，妳忽然聽見另一個聲音：「達西，你這個混蛋！我本來是要來追求她的！」那是達西的表弟，費茲威廉上校！但這時表示驚訝或展現端莊也來不及了，達西的巨大分身引發的魔力全然征服了妳，妳開始顫抖抽搐，快感在妳全身四處奔竄，持續的高潮讓妳不斷抖動呻吟。

在模糊的意識中，妳從眼角瞄到上校也正在匆忙解開自己的馬褲，因為平常讓僕人更衣慣了，所以顯得笨手笨腳。他撫弄著自己尺寸較小但也頗為傲人的硬挺。達西持續在妳顫動的體內衝刺，費茲威廉上校則在一旁的椅子上坐下，大大方方、毫不遮掩地開始自慰。

接著輪到達西了：他的瞳孔放大，令他狂野的眼眸變得更深邃。在他將一波又一波的炙熱愛液射進妳抖動的小穴之後，隨即癱軟在妳疲憊的身上。但即使如此，他依然維持紳士作風，用手臂支撐著自己的體重免得壓傷妳。

他的喘息、上校的呻吟與妳的心跳聲此起彼落，妳感到達西的汁液開始流出妳體外，好像在妳的敏感地帶塗上一股溫暖的精油。但對鋼琴而言可就不怎麼妙了。

此時，又傳來了另一波猛烈刺耳的撞門聲。凱莎林·德包爾夫人看著眼前的景象，嚇得臉色發紫，瞠目結舌。

「你們竟敢以這種方式玷污羅辛斯莊園！」她尖叫。妳一度以為她會因為中風當場暴斃，但她反而抓起達西丟在一旁的馬鞭。「你們都應該被鞭打懲罰！」她怒吼著，使盡全力鞭打達西光溜溜的屁股。

達西痛得大叫，從妳身上跳起來，但依然勇敢地護住仰躺在鋼琴上的妳，把腰部以下一絲不掛的妳翻過身來。妳的雙腿疲累得撐不住身體，妳只能靠著鋼琴支撐自己，裙子依然在腰際上方。

另一個悶哼聲傳來，表示上校要不是已經達到高潮，就是被凱莎琳夫人教訓了。現在輪到妳了。她向妳大步走來時，裙子沙沙作響。妳像隻鴨子般癱坐在鋼琴上，依然喘得上氣不接下氣。妳以為馬鞭即將打在妳柔嫩的臀瓣上，嚇得往後一縮，但她住手了。

凱莎琳夫人用嘶啞的聲音說：「我一直覺得妳很別緻，小姐，妳別緻的雙峰……還有現在，下面這些別緻的……」有一隻手正在撫摸妳的裸臂，但達西的手可沒這麼小。還有，為什麼鋼琴在晃動呢？

請翻至第221頁。

妳決定看傑森．史塔森的電影

電影很俗氣，節奏很快，妳看得津津有味。傑森．史塔森的自信、威嚴和泳將身材都讓妳想到那位空警。汽車追逐的音效在妳耳裡嗡嗡作響，妳往後靠坐，閉上眼睛。

刺耳的尖叫聲把妳從幻想中喚醒。「誰來幫幫他！」空服員尖叫著。

妳抬起頭，看到那位空警正跌跌撞撞地走向妳，敞開的襯衫露出線條剛硬的腹部，他的額頭冒著汗。他走到妳的座位看著妳，湛藍的眼睛被驚恐的眼神遮蔽。「我需要妳。」

「怎麼了？」

「我中毒了。」

「什麼？」

「我在政府的祕密機構服務，我知道太多內幕了，他們盯上我……一定有人放了什麼東西在飛機上的餐點裡。」

還好妳沒有點雞肉千層麵和青豆燉牛肉。「我能做些什麼？」

「我必須讓全身充滿腎上腺素，增強心跳速率，否則我會死。」

「什麼？你確定嗎？這完全不合邏輯啊。」

「我知道聽起來很瘋狂，但請妳幫幫我！我只信任妳一個人！」

驚恐的人們從四面八方盯著妳看，妳忽然想起來了。妳不是在傑森．史塔森的某部舊片裡看過類似情節嗎？妳回想了一下，對了，妳看過，而且妳還知道應該怎麼做。妳站起來，抓著空警的衣領，然後親吻他。旁邊的乘客紛紛驚呼。「好點了嗎？」妳問。

「我想是的，但我還需要增加心跳速率。」

「別擔心。」妳說，感到自己的脈搏隨之增強。總要有人伸出援手，不如就是妳吧。「快點，」妳喊，「幫我把他帶進洗手間。」

「洗手間全都有人，」空服員嗚咽著說，「是千層麵……」

妳逼問他。「有別的地方可以去嗎？快點，他命在旦夕。」

「機艙後面有個僅供機組員使用的管制區。」

「馬上帶我們去。」

妳一手摟著空警的腰，扶他蹣跚地走到機艙後面，穿過一扇隱藏的小門。

「我愈來愈虛弱了。」他輕聲說。妳停下來再次親吻他。

機組員休息室很小，裡面只有兩張以布簾隔開的床。瀕臨死亡這件事讓妳感到前所未有的精神緊繃——即使瀕臨死亡的不是妳自己。

但並非只有妳一個人覺得亢奮。空警雖然虛弱無力，但妳也注意到了他牛仔褲間的明顯凸起，絕對不是因為他腰間的槍套。

沒有時間前戲了，你們也都不需要。

「躺好。」妳命令他。妳知道妳需要讓他盡量保持興奮才能活命。這事關國家安全，更別說他這個人也性感極了，妳第一眼見到他就想做這件事。

「不行，」他說，「我必須保持心跳加速，不然心臟會停止。」

「喔，別擔心，」妳說，「我絕對會讓你心跳加速的。」說完之後，妳跪在床的一側，快速地解開他的皮帶和鈕釦，接著是拉鏈和內褲。妳掏出他的分身，含進嘴裡。

「喔，我的天，這很有效。」華勒斯說，聲音粗啞。

妳用舌頭上下舔拭，他的長度適中，但很粗大，並且愈來愈硬。

「喔，我的天！」華勒斯又說，妳捧起他的囊袋輕輕捏了一下，然後開始來回挑弄他的頭部，用舌頭纏繞舔拭敏感的尖端，兩手撫弄著勃起。

也許妳會因為救了他一命而獲頒獎章，外加給了他一場畢生最過癮的口交。華勒斯的呻吟變得愈來愈大聲，這是妳獲得最佳品簫勳章的好跡象，但對妳勢必要救活他這件事則是壞兆頭。高潮過後，他的心跳一定會下降，接著他是否就會死？所以妳必須在前往紐約的一路上持續服務他。算了，妳還做過更糟的差事呢！

妳挺起身子，一邊吻著他的臉和脖子，一邊脫去自己的衣服。空警幫妳一把，解開了妳襯衫的釦子，妳則脫下底褲。妳解開胸罩，在他面前露出雙峰。「妳真是棒透了。」他說，對妳伸出手。「我的心跳得好快。」

「那我們最好繼續保持下去。」妳說，接著妳騎在他身上，面對他的腳蹲低身子，把妳的蜜穴往他臉上靠，妳的嘴重新回到他的勃起上。

他如魚得水地迎接妳的小穴。妳感到他的舌頭開始舔弄探索妳的深處，他固定著妳的腿，將妳的私處控制在他臉部上方，舌頭伸進妳體內。

他的勃起愈發硬挺，妳再次將它含進嘴裡時，可以感受到它強烈的抖動。這次，妳用雙手包覆著根部，慢慢含進嘴裡，配合他的舌頭進出妳小穴的節奏使勁吸吮。沒多久，妳感到他的手指在妳小蒂施力，雙重的快感襲擊著妳全身上下。

妳不情願地將自己從舌頭與手指結合的神奇感受中抽離，繼續背對著他，往他身下滑動，然後引導著他的勃起進入妳體內。妳慢慢在他身上坐下，開始像個牛仔般以反方向騎著他，妳雙手按著他的腿，他的雙手則扶著妳的臀。妳騎了又騎，心裡依然記得不能冒險讓他得到高潮，所以妳試著讓動作慢下來，以不同速度扭動身子，盡量不進入節奏。但這種感覺實在太美好，妳忍不住加快速度，直到他在妳體內用力衝刺，妳的小穴開始因地震般的瘋狂高潮而抽動。妳仰起頭，周圍的一切似乎都在晃動。空警一定是達到他這輩子最棒的高潮了——他的奮勇衝刺把妳像布娃娃一樣搖得翻來覆去。

請翻至第221頁。

妳抵達紐約市

飛機晃了一下，把妳嚇醒。喔，不會吧，不僅是因為飛機在準備降落時通過嚴重亂流，這實在非常煞風景。而且空警不知何時也已經回到座位來了，妳還一直靠在他的肩膀上流著口水呼呼大睡。妳坐起來，找到水瓶，喝了一口水。

「睡得好嗎？」他微笑著問。

「嗯……好，」妳脹紅著臉。「對不起，我靠在你身上睡著了。」

「沒關係，其實還滿可愛的，妳一直在說夢話。」

「真的嗎？我說了什麼……丟人現眼的話嗎？」

「要看妳對丟人現眼的定義是什麼。」

妳不確定自己想知道答案。現在是改變話題的好時機。「那個鬧事的傢伙後來怎麼了？」

「他最後安靜下來了，也道了歉，我可能會放過他。」

你們不再交談，直到二十分鐘後飛機落地，機長熟練地提醒乘客不要逕行離開座位，需等到飛機抵達登機門為止。他才剛說完，所有乘客都迅速地站起身來，開始拿行李。

「嘿，」空警對妳說，「我們交換一下電話號碼如何？我在想，我們可以去我說的那個好地方喝杯咖啡，我還可以多跟妳聊聊這個城市。」

妳考慮著這個提議。喝杯咖啡無傷大雅，是吧？在去見「紐約螢火蟲」之前，能有位當地人為妳導覽一下曼哈頓也挺好的。但妳也必須承認自己心裡其實有個角落正在暗自期望，如果到時候跟消防員不來電，那麼……

「當然好。」妳說。妳給他妳的號碼，然後將他加入通訊錄，命名為「性感空警」。

他站起來，將你們的行李取出行李櫃，給妳再次欣賞他健美身材的好機會。「希望很快能再見到妳。」他說，意圖頗為明顯。「很榮幸認識妳，女士。」

「流口水的事很抱歉。」妳脫口而出，看著他與其他乘客離開機艙，但幸好他似乎沒聽見妳的話。

小睡過後的妳還是覺得有點昏沉。妳通過海關，前去提領行李。妳一直留意四周，找尋空警的蹤跡，但看來他一定是走另外一條路出關。妳加入排隊等計程車的隊伍，看到一位長相異常甜美的女人來接那個鬧事者，她的雪佛蘭轎車後方保險桿上貼著「對美國好一點，否則我們就帶著民主去你的國家」的標語，妳不禁莞爾。

計程車管制人員向妳揮手，示意要妳準備搭下一輛車。妳的視線被一位站在出口旁、穿著手工訂製黑色大衣的黝黑男子吸引。他不像空警那麼高，但迷人風采不相上下，而且他顯然也正在觀察妳。妳回看他，但他依然保持著那若有所思的神情——像是達西先生，而不是傑森．史塔森。過了幾秒，他戴上墨鏡，轉身離開。妳暗暗鬆了口氣。妳已經在飛機上隨便勾搭了一位陌生人；而一次兩個就太貪心了。

妳的計程車穩穩地開上高速公路，妳和司機聊起來，他來自孟買，是個喋喋不休的傢伙。他答應帶妳走風景比較優美的路，但不額外收費，還刻意放慢車速讓妳能好好欣賞曼哈頓的天際線。當他開上威廉斯堡大橋上時，妳認出了克萊斯勒大樓的弧線造型及銀光燦爛的頂部尖塔，以及帝國大廈的方正外觀及針尖般的樓頂。數以千計的電影與電視劇都曾在那裡取景，從上方俯瞰著底下同樣熟悉的摩天大樓群。明亮的天色，蔚藍的晴空，陽光在橋下的河流上映照出粼粼波光。渡輪的笛聲響起，妳的左手邊一艘滿載遊客的小船正緩緩航向史坦頓島。

妳的手機響起簡訊通知，是空警傳來的：「很高興認識妳。想讓我請妳喝咖啡時就通知我。××」

動作真快，而且他的拼字能力沒問題，這點要加分。更別說那兩個吻了。妳決定待會再回覆——妳不想讓他認為妳很飢渴。

計程車一下橋，馬上就被四面八方的車陣淹沒，按喇叭與高聲叫罵的聲音使妳脈搏加速。妳真的來了！妳的司機似乎漫不經心地在小巷中繞來繞去，妳遠遠看到唐人街那五顏六色的招牌和旗幟裝潢。幾分鐘後，他在一棟優雅的褐色石砌建築外停車。

妳付錢給司機，感謝他旋風式的導覽，深深嗅聞著妳的第一口紐約空氣。妳以為這城市會充滿汽車廢氣，或甚至是垃圾的臭味，但妳聞到的卻是附近小攤傳來的烤脆餅香氣。妳拖著行李走進飯店門口時，注意到地鐵排氣口飄上來的是金屬摩擦的味道。人行道與馬路正如妳意料中地繁忙；人群在妳身邊穿梭，談話聲嗡嗡作響。每個人似乎都帶著某種目的或對某事有所期望。妳停下來看幾個上班族橫越馬路，不停講著手機，對眼前的交通狀況視而不見。

謝天謝地，幸好妳捨得花錢住飯店。妳欣賞著最近翻新的門面以及格子窗，金屬逃生梯讓整棟建築像是戴著假睫毛一樣。妳辦理入住，被領進妳的房間，它比妳預期的大了許多，雖然窗外的景緻是另一棟房屋，而不是想像中的天際線美景。

現在做什麼好呢？妳要在梳洗後小睡一下嗎？距離與「紐約螢火蟲」見面還有很多時間。但妳在這城市並不會待很久……妳真的願意把時間浪費掉？精品專賣店正呼喚著妳……

如果妳決定洗個澡，小睡一下，請翻至第225頁。

如果妳決定馬上出門，請翻至第231頁。

妳決定洗個澡，小睡一下

妳脫掉衣服，打開水龍頭直到霧氣瀰漫，然後走進寬廣的淋浴間。強力的水柱愛撫著妳的肌膚，妳用香皂洗著雙峰與雙腿時，腦中忽然閃過空警精壯健美的身軀。不行，妳想，這主意不好。妳把水溫轉涼。距離和「紐約螢火蟲」約會的時間還有幾個小時，妳不想耗盡體力。妳擦乾身子，打開行李。嗯，妳帶來的黑色小洋裝皺了，看來妳還是需要去精品店逛逛。說真的，為什麼要把在不夜城的第一天浪費在飯店裡睡覺呢？

妳抓起皮包，匆匆走到飯店大廳。飯店內部很安靜，與門外的刺耳交通噪音形成強烈對比。妳站著不動，花幾秒鐘讓自己習慣這一切。妳發現馬路對面的自助洗衣店門口站了一個穿大衣的人，等等……那不就是妳在機場外面看到的男人嗎？酷似達西先生的那個人？怎麼可能啊？妳向前一步想要看得更清楚，但一輛卡車停下來擋住妳的視線，等它開走後，那男人就不見蹤影了。

妳聳聳肩。如果這不是巧合，那就是妳瘋了。

妳決定前往堅尼街和包厘街，在一排排被煙燻黑的建築物和巷弄間遊蕩。妳在一家熟食店兼咖啡廳小坐了一下，聞著店裡誘人的烤麵包和烘焙咖啡豆的香氣，囫圇吞棗地吃了個塗滿乳酪醬的貝果。

妳覺得更有精神了，決定隨意逛逛，走到哪裡算哪裡，但妳根本還沒走遠，兩間店之外有個迷人的櫥窗吸引了妳的目光。精品店裡的人體模特兒身上只穿了顯然極度昂貴卻也精美異常的法式內衣。如果想和「紐約螢火蟲」進一步做點什麼事，穿著成套的法國蕾絲絕對會使妳自信加倍。而且，妳繼續為自己找理由：妳已經很久沒有狠狠地刷卡購物了。

銷售人員是位穿著知名品牌卡西尼套裝的成熟女性，她親切地招呼妳。妳放鬆下來；妳本來還擔心像這樣的高級商店，銷售人員可能都是咄咄逼人的勢利眼。「妳想找什麼特別的東西嗎？」她問。

「也許吧，」妳說，「今晚對我很重要。」

她狡黠地對妳一笑。「請慢慢看。」

妳馬上就被後面一排的蕾絲緊身襯衣深深吸引。

「啊，對了，」銷售員輕聲地說，「這些款式非常受到顧客歡迎，穿起來相當舒服。」妳完全不看售價，就動手選了一件淺粉紅色款式，它讓妳想起十八世紀那個時代。

銷售員招手請妳到店內角落那一塊用布簾隔開的區域。妳走進去，解開襯衫鈕釦，脫掉胸罩，然後穿上緊身襯衣。那位銷售人員很專業，穿起來也真的很舒服。她幫妳把背後的蕾絲綁好，然後示意妳走到金邊橢圓穿衣鏡前。「好美啊！」妳驚嘆著。妳的腰肢看起來不盈一握，妳很訝異自己穿著它竟然還能呼吸。

「我正好有可以搭配它的商品。」銷售員說。她拿了一條法式絲質底褲過來，端莊中帶著些許性感。這不像妳愛穿的風格，但妳還是決定試試看，於是妳脫下裙子，將它直接套上妳的丁字褲。

妳拉開更衣室門簾，想問問看銷售員的意見，「妳覺得——？」妳尖叫一聲，站在眼前的竟然是在機場外盯著妳看的大衣男子。

「是你！」妳衝口而出。「你在跟蹤我嗎？」

「沒錯。」他從內側口袋裡拿出一張像是政府官員證件的卡片給妳看。「國土安全部特別探員包恩。女士，要麻煩妳跟我走一趟。」

「什麼？」妳轉頭找尋銷售員，但她正在遠處角落向兩個整型過度的女人介紹調整型胸罩。她向妳揮揮手。

「我不想造成混亂，所以我告訴她我是妳丈夫。」那男人說。

「你好大的膽子！」妳說。他的目光移向妳被馬甲擠到快掉出來的胸部。妳雙手遮擋在胸前，努力維護著自尊。妳還在努力消化這一切。「到底是怎麼回事？我吃貝果忘了付錢嗎？但他們才不會因為這件事就通知國土安全部。」

「女士，請不要大聲嚷嚷。」

「你要我怎麼樣？這位……」

「包恩探員。」

妳把證件從他手上奪過來，看起來不像偽造的，但妳又怎麼知道究竟是真是假？妳仔細檢查，接著抬頭看他。「真的假的？你叫傑森．包恩[13]？」

他嘆口氣。「很不幸的，沒錯。」

「所以現在是在演《神鬼認證》嗎？」妳知道現在不是講冷笑話的好時機，但妳一緊張就容易口不擇言。衣不蔽體時被政府官員逮捕，任誰都會慌張。

他看起來不覺得好笑。「妳可以打去我的外勤單位確認我的身分。」

對啦，最好是。妳怎麼可能打去國土安全部問傑森．包恩是不是他們的探員。「我被逮捕了嗎？」

他嘆口氣。「沒有，女士。但我不想在這裡談這件事。」他看了一下銷售員和走進來的顧客，但目光又飄回妳半裸的身軀。「也許妳應該先穿好衣服，然後我們再談。」

妳脹紅了臉。他說得對，現在這樣已經讓妳覺得夠無助了。妳的手微微發抖，拉上門簾，兩手伸到背後倉促地試圖解開襯衣。妳試圖用手抓取那些緞帶，但妳沒練過軟骨功，所以一直搆不到。妳把頭探出簾子外，試著引起銷售員注意，但她正在忙著幫那些貴婦顧客試穿昂貴的內衣。

「你得幫我，」妳冷漠地對探員說，「我沒辦法自己解開。」

他面無表情地點點頭，走進更衣室，本來很小的空間立即變得更加窘迫。妳一語不發，轉過身背對他，試著不去想像現在這個情景有多荒謬。他被迫緊貼著妳站立，妳感覺到他的氣息吹拂著妳頸背上的柔細毛髮。妳能清楚感覺到他幫妳解開緞帶時，雙手輕擦過妳的肌膚，妳肩胛骨間的敏感帶能明顯感受到他清涼的碰觸。

「好了。」他簡短地說。妳轉身想拿衣服。但還沒拿到，襯衣就滑了下來。妳全身上下只剩下一條法式絲質內褲，只好用手遮住胸前。包恩探員彎腰幫妳撿起襯衣，但妳的手要是不放開就無法把衣服接過來。妳對著更衣室角落的小椅子點頭示意。「放在那裡就好。」

「我到外面等妳。」他啞著聲音說。

妳迅速穿上衣服，不甘願地把襯衣還給一臉納悶的銷售員，然後走出店外。

包恩探員正倚著一輛貼著黑玻璃的黑色豪華轎車，活像是從選角中心出來的藝人。但如果他以為妳會乖乖搭上那輛車，他就大錯特錯了。「我不會上車的，」妳說，「我怎麼知道

---

13 傑森・包恩（Jason Bourne）為美國諜報動作電影《神鬼認證》系列三部曲之主角，由麥特・戴蒙（Matt Damon）主演。

這一切是不是一場精心策畫的騙局，而你可能是人口販子。」

「女士……」

司機側的門打開，一個有著奶油色肌膚、膚質完美無瑕的短髮美女走下車。她對妳露出微笑，伸出手來。「妳好，」她說，「我是彼得森探員，海關邊境保衛局。」妳目瞪口呆地和她握手。

「她說她不要上車。」包恩探員對那女人說，她又笑起來，露出白得耀眼的牙齒。她不只是迷人而已，妳暗暗心想，她簡直是美極了。

「我不怪她，」她說，指著附近的熟食店。「我們去那裡談談如何？還有，請叫我艾西絲。」

妳同意她的建議，至少你們是在公共場所，而且，妳也很好奇這一切到底是怎麼回事。

請翻至第236頁。

妳決定出門血拚

這個城市有種特殊的脈動，活力十足。妳大步閒逛，沉浸在周邊的氣氛中，不時在商店櫥窗前駐足。妳停下來跟小販買了熱脆餅，一邊漫無目地四處遊蕩，一邊津津有味地咀嚼，舔著手指上的鹽粒。妳突然停下腳步，目光無法從一間古著商店櫥窗裡的紅色洋裝離開，它是五〇年代的畫報女郎風，重點部位穿起來線條前凸後翹，一看就是妳的尺寸。

妳屏住呼吸。妳穿起來一定很好看，而且正好有一雙高跟鞋可以搭配。妳匆忙走進去，一個開心的中年胖女人向妳打招呼，她留著一頭黑色短髮，擦著亮粉紅色的口紅。

「櫥窗裡那件紅色衣服，」妳說，「好美啊。」

「可不是嗎，」她滔滔不絕地說，「是美國設計師希爾・查普曼的。」她打量著妳。「妳想試穿看看嗎？」

「麻煩了。」妳等著那位銷售人員把衣服從模特兒身上脫下，趁機翻看起一排排衣架上的經典服飾。商店裡有香水和舊報紙的味道。

門鈴響了，妳轉頭，看見一位美得令人屏息、頂著一頭黑色短髮的女人走進店裡。她穿著牛仔褲和高筒靴，脖子上的紅色絲巾簡單襯托出她與生俱來的時尚氣息——這種女人通常會讓妳覺得自己很寒酸。她對妳露出一個友善的微笑，開始翻看架子上的衣服。

店員把洋裝遞給妳，帶妳到更衣間去，向妳解釋如果要照鏡子的話，要走出來到店鋪中央才行。

妳扭著身子套上洋裝，但妳沒辦法把拉鏈拉到底。妳走回店鋪中央，那位美女走向妳。「來，我幫妳吧。」她說。店員在一旁忙碌，美女幫妳拉上拉鏈，將洋裝的下襬整理好。她看著鏡中的妳，幫妳把臀部的布料撫平。妳臉紅了，如果不是這女人而是別人這樣對妳，妳會被他們的大膽行徑嚇壞。

「太完美了。」店員讚美著。

「不，」妳的血拚同伴說，「不太適合。」她的口音顯示她是純正紐約人。妳側過頭，轉身看洋裝的背面。妳必須同意她的看法，手臂下方有點太緊了。妳失望地嘆口氣，但嘗試一下也值得。

「謝謝。」妳無奈地說，然後走回更衣間。

妳身上還穿著內衣，那位時髦女人探頭進來。「希望妳不介意，」她說，「但我看到一件妳穿起來會很美的衣服。」

她走進來，小空間裡立刻充滿濃濃的異國香水味。她拿起一件二〇年代風格的水藍色洋裝，背後有一排精緻的鈕釦——妳絕不會為自己挑選這種衣服。

「我不確定這顏色適合我……」

她微笑。「試試看嘛。相信我，來，讓我幫妳，手抬高。」

妳不確定該怎麼回應，但妳照著她說的話做，讓她把洋裝從妳頭上套下。冰涼的絲質布料觸碰著妳的肌膚，她的手指輕拂過妳的腰和臀，幫妳將洋裝穿好，妳微微顫抖。

「轉過去，讓我幫妳扣釦子。」

她把釦子一一扣上時，指尖時不時輕觸妳的背，她的觸碰如羽毛般輕盈，而且，妳敢大膽地說，簡直令人興奮。妳很確定她在勾引妳，但出於某種原因，妳不覺得自己受到冒犯。

「好了，」她往後退開一步，打量著妳，舔了一下自己的嘴唇。「出去照鏡子看看。」

妳走出更衣室，看著鏡子裡的倒影。妳根本認不出自己了，那顏色讓妳的眼眸更加閃亮，斜角剪裁凸顯出妳的曲線。

「妳朋友很有品味。」店員說。

「喔，她不是我朋友，我們剛剛才認識。」

妳以為那位美女在妳身後，轉過身想答謝她，但她不見了。妳往更衣室裡一看，大吃一驚，她……她在翻妳的皮包！

「嘿！」妳大叫。

她抬起雙手。「女士，不是妳想的那樣。」

「快叫警察，」妳對店員大吼，「這女人想搶我東西。」

那位謎樣的女人伸手從口袋裡拿出證件。「不需要，我就是警察。」

「什麼？」

「海關邊境保衛局特別探員艾西絲．彼得森，我要請妳跟我走。」

「妳說什麼？妳是誰，哪裡來的？」

她耐心地重複一遍。「海關邊境保衛局探員艾西絲．彼得森。女士，我有充分理由懷疑妳涉及違法行為。」

海關邊境保衛局？妳回想著自己可能做過什麼違法的事而引起他們注意——他們絕對不會是因為妳行李箱裡的那罐救急巧克力醬而來的吧？妳也沒有在免稅商店買到那麼失心瘋。這是某種詐騙行為嗎？

妳裝出最有自信的語氣。「這是怎麼回事？」

「我不想在這裡談，女士。」

「我被逮捕了嗎？」

「沒有，女士。老實說，我是來請妳幫忙的。」

「幫忙？」

她點點頭。「這件事很重要，我在外面等妳。」

店員看起來跟妳心裡的感覺一樣慌張不安，她幫妳脫掉洋裝。妳快速穿好自己的衣服，匆匆走出商店。

彼得森探員就在門口等妳，正倚在一輛車窗全黑的豪華轎車旁邊。

「女士，」妳身後傳出低沉的男聲，妳轉頭看，是在機場外面見過的那名男子，讓妳想起達西先生的人。到底是怎麼回事？「如果妳能跟我們走一趟，我們會很感激。」他遞給妳一張證件。

「這位是國土安全部的包恩探員，」艾西絲說，「我們正在辦案。」

妳感到一頭霧水，檢查著他的證件，發現他名叫傑森。傑森．包恩？詐騙集團不會那麼不用腦子或那麼明目張膽吧？但妳絕不想跟這兩個人一起上車。

妳發現對街有家熟食店，旁邊有家看不錯的內衣小舖。「如果你們想談，去那裡如何？」

神祕男子嘆口氣，但艾西絲對妳微笑。「聽起來不錯。」

請翻至第236頁。

妳前往熟食店

焦慮使妳不安，所以妳點了咖啡和巧克力蛋糕。巧克力總能在妳緊張的時候讓妳冷靜下來。艾西絲跟妳點了一樣的，但包恩探員只點了低糖拿鐵和麥麩鬆餅。

「所以，」妳等服務生離開後問，「到底是什麼事？」

「女士，介意讓我看一下妳的皮包嗎？」艾西絲問。

「我的皮包？」

「麻煩妳。」

妳好奇地把皮包遞給她。艾西絲戴上手術用手套，開始把內容物一一拿出來。這已經不是第一次了，妳暗自希望自己早就整理過皮包。妳的《傲慢與偏見》掉在桌上，還有用過的面紙、一盒壓扁的衛生棉條、三年前的電影票根、被朋友的狗咬過的梳子以及幾個保險套。包恩探員看著物品，同時打量著妳，妳也不甘示弱地回瞪著他。

「別擔心，我的皮包更亂，」艾西絲愉快地說，「是個垃圾黑洞。」

她搜尋著其中一個暗袋，這包包裡有好幾個暗袋，但妳通常不使用。但她忽然拿出了一個妳從來沒看過的東西，一個小布袋。她小心翼翼地將內容物倒在盤子裡，一串亮亮的小石頭跑了出來。它們看起來沒什麼特別，反而像是髒髒的玻璃碎片。妳忍不住伸手去摸。

包恩探員抓住妳的手。「不要摸。」

「這是什麼？」

「血鑽石。」艾西絲說。

「血鑽石？妳是認真的嗎？」

她看起來絕不是開玩笑。「這些小東西在黑市交易中可是獲利匪淺，足以飆出天價。我估計這一批價值大概有五十克拉。可能來自辛巴威。」

妳曾聽說過血鑽石，這又稱為「衝突鑽石」，採自戰爭地區的礦脈，通常是由孩童在危險的環境中開採，多半被用來金援內戰或恐怖活動。有位超級名模不是曾經出來作證，有個軍閥曾送過她一些「看起來很髒的石頭」，導致他因戰亂罪名被起訴嗎？

「但它們怎麼會在我的皮包裡？」

「妳倒是說說看啊。」包恩探員沒好氣地說。

「我不知道。」

「妳先告訴我們妳來紐約的目的。」

「那跟你們無關。」

「女士，妳可能會惹上大麻煩，最好乖乖跟我們合作。」
「你不是說我並沒有被逮捕？」
他嘆氣，伸手扒過頭上短短的黑髮。
「好啦好啦，」妳說，「嗯……我來是因為今晚午夜我要去見某個人，在帝國大廈頂樓。」
艾西絲看起來茫然不解，但包恩探員說：「像《金玉盟》電影裡面那樣？」妳很驚訝他懂這個典故。也許紐約的公僕都有一顆浪漫的心。他拿出筆記本。「你要見的人是誰？妳可以給我他或她的姓名和聯絡方式嗎？」
「我……我沒有這些東西。」妳滿臉通紅。「這有點像是一個盲目約會，我們在網路上認識……」
「妳千里迢迢飛來紐約見一個陌生人？」包恩探員搖搖頭，但艾西絲對妳揚起嘴角。
「他也不完全是陌生人啦。」妳為自己辯護。
「我的前男友就是在網路上認識的，」艾西絲說，「沒什麼大不了啊，只要妳小心行事，避開陷阱。」妳開始喜歡這個女人了。
妳忽然想到一件事。「我們不是應該去警察局嗎？」
「不行，」艾西絲說。「我們不確定還有哪些人涉案，或者他是否在警察單位有內線。」

「他？」

「飛機上坐妳旁邊的人。」

「那個帥哥？」妳真的該學習說話如何經過大腦。「是他把這東西放進我皮包裡？但……他是空警呀。」

「沒錯，」艾西絲說，「這幾年來他一直利用職位之便在國內外走私衝突鑽石，我們已經想辦法拘留了他所屬的犯罪集團領袖，但如果沒抓到他，整個案子可能就會因此化為泡影。我們認為他懷疑我們已經盯上他了，所以他才把走私品放進妳皮包裡，免得被逮到。」

「但他總會想辦法把東西拿回去，」包恩探員插嘴，「所以我們需要妳幫忙。」

艾西絲按著妳的手。「妳絕對會很安全的，我保證。妳願意幫助我們嗎？」

如果妳覺得太危險，不想介入這件事，請翻至第240頁。

如果妳答應幫助他們，請翻至241頁。

如果妳覺得太危險，不想介入這件事

拜託，這也太可悲了吧。妳是這樣的人嗎？至少妳也先上http://www.warchild.org/[14]網站看看再說。

請翻至第241頁。

妳決定要幫忙抓到空警

「我願意。」妳說，艾西絲鬆了口氣，包恩探員嚴肅的表情也軟化了下來。「你們有什麼計畫？」

「他知道妳住在哪裡嗎？」包恩探員問。

「不知道，但我們交換了電話號碼，他邀請我喝咖啡。」探員們交換了一個眼神。妳拿出電話給他們看簡訊，但等到想起來妳曾把他命名為「性感空警」時已經來不及了。想到自己竟然會覺得華勒斯空警這種變態很性感，讓妳感到很羞愧。

「妳可以回覆他的簡訊嗎？告訴他妳想約他見面。」艾西絲說。

妳的手指因腎上腺素混合著糖分與咖啡因而顫抖，妳打著簡訊：「嘿，喝咖啡是個不錯的主意。」

你們三人靜靜地等著回應。妳抬頭時發現包恩探員正在觀察妳。

---

14 War Child為幫助於戰爭與衝突地區受害兒童之非政府慈善機構。

「我是長了兩個頭嗎？」

「妳嘴角沾了糖霜。」他往前傾，用拇指輕輕幫妳擦掉。

艾西絲看著他，翻了個白眼。「真高招。」

妳的手機震動，妳嚇得跳起來。空警傳來簡訊。妳唸出來給大家聽：「還以為妳忘了我。洛克菲勒廣場的星巴克，何時方便？」

星巴克？他的私人口袋名單也不過如此，但妳並不關心這一點。

「告訴他，妳半小時內到。」艾西絲說。

妳的手還在抖個不停，妳照著她的要求做。他馬上回覆：「約會成立。」

「我們約好了，」妳說，「接下來呢？」

「我們會讓妳戴上竊聽器，然後妳就可以赴約。」

他們送妳回到車旁，妳傻乎乎地上了車，包恩探員從金屬手提箱裡拿出迷你麥克風，妳解開外套釦子讓他幫妳別在襯衫上。妳確定他能感覺到妳的心臟砰砰跳。

「妳是在做好事，女士。」他靜靜地說，深深望進妳的眼底。「謝謝妳。」

妳走進咖啡廳，心臟幾乎跳到了喉嚨口。包恩探員和艾西絲已經坐在裡面，艾西絲假裝在講電話，包恩探員則似乎專注在電子閱讀器上。妳猜想著他在讀什麼，但妳覺得不會是

《傲慢與偏見》。妳走到櫃檯點了一杯大杯美式咖啡，期望有外加一份伏特加這個選項。

「謝謝妳願意見我。」耳邊傳來一個聲音，嚇了妳一跳。

妳轉身，發現空警正緊貼在妳身後，他迷人的藍眼睛現在看起來冰冷無情，曾經英俊的鮮明輪廓現在只剩下一臉殘忍。

「小事一樁。」妳說。

「我們走吧？」

妳跟著他到咖啡廳另一頭，坐在一對爭吵中的英國遊客情侶旁邊。當空警脫下夾克、露出緊身黑T恤，那位小姐簡直看得目不轉睛。妳注意到他的身體右側有一塊隆起物，妳想並不是因為他很高興見到妳，那是他的槍。

「妳不熱嗎？」他問。

「有一點。」妳沒有脫外套，免得他發現妳襯衫上別著麥克風。他開始與妳閒聊，問妳到目前為止做了些什麼，妳隨口提了血拚的事。

「妳的飯店如何？」他問。

「很棒。」

「妳住哪一區？」

「上東區。」妳說謊，不想讓他知道妳住在哪裡。妳喝一口咖啡，燙到舌頭。太燙了。

妳望向艾西絲，她對妳輕輕點頭。就是現在了，是喚醒妳體內的傑森．史塔森或吉娜．卡拉諾[15]的時候了。他們做起這種事來總是輕而易舉。

「我要去一下洗手間。」妳說，試著保持冷靜。「你不介意幫我看著東西吧？」妳把皮包放在桌上，裝作若無其事。

他聳聳肩。「當然，沒問題。」他連看都不看。難道探員誤會他了？但那些鑽石又是怎麼放進妳皮包裡的？

妳雙腿打顫，緊張兮兮地走去洗手間。包恩探員和艾西絲指示妳盡快離開現場，但有種預感讓妳停下腳步，回過頭去。

空警正背對著妳，拿起妳的皮包翻找，拿出小袋子放進他的口袋。

「不許動！」艾西絲對他大吼。

一切似乎都變成了慢動作。艾西絲和包恩探員跑向他的位子，空警轉身掏出手槍，直接瞄準那位女性英國遊客，她的伴侶大叫著躲到桌子底下。她臉色蒼白地絞著雙手，嗚嗚啜泣：「我就說應該去貝尼多姆[16]的！」

「把槍放下。」艾西絲鎮定地說。

「辦不到。」空警說。

局面僵持不下。妳不確定自己是中了什麼邪，但妳還來不及考慮後果，就偷偷走上前，端起咖啡往他後腦杓潑過去。空警嚇了一跳，丟下手槍，拚命搔著泛紅的脖子。那杯咖啡真的很燙，他一定痛死了。

艾西絲幾秒鐘內就將他制伏在地上，她用膝蓋壓住他的背，手銬已經拿在手上。其餘顧客都已逃離現場，只有妳杵在原地不動。妳感到有人按著妳的肩膀，一抬頭就看到包恩探員深邃的眼眸。

「妳沒事吧？」他低聲問。

沒事嗎？妳不確定。

「妳剛才反應很快，妳做得很好。」

他帶妳走出咖啡廳，街上傳來警笛接近的刺耳聲。陽光太強了，周遭的鼎沸人聲吵得妳耳朵不適。「妳必須跟我們去外勤單位完成筆錄，」包恩探員輕聲說，「妳可以嗎？」

妳感到殘餘的腎上腺素消逝，對他點點頭。

筆錄做了好幾個小時，艾西絲和包恩探員前來通知妳，空警已經全數認罪，妳可以離開了，而這時的妳已經精疲力盡。妳看看時間，晚上七點，距離妳去和「紐約螢火蟲」約會還

---

15 吉娜・卡拉諾（Gina Carano），義裔美籍的知名女性格鬥武術家，也是電影演員。

16 位於西班牙瓦倫西亞的小鎮。

有幾個小時。妳不確定是否還有心情去，但讓他一個人苦苦等候也很殘忍。妳收拾東西，妳的手提包被當成證據扣留，但艾西絲給了妳一個NYPD的紀念提袋裝妳的私人物品。

「我們會載妳回飯店，」艾西絲說，「想要誰送妳回去呢？」

如果妳決定跟包恩探員走，請翻至第247頁。

如果妳決定跟艾西絲走，請翻至第259頁。

妳決定搭包恩探員的便車

一開始上路的幾分鐘，你們都沒開口說話。等你們穿過百老滙街的車陣後，包恩探員問：「餓嗎？」

妳轉頭看他。「什麼？」

「妳餓嗎？」

妳的胃發出咕嚕聲，才想到自己餓壞了。腎上腺素的確會燃燒很多卡路里。

「我知道一個吃東西的好地方。」他轉頭看妳，第一次露出笑容。他的表情因為這個微笑而倏然轉變，之前的冷若冰霜都消失了。妳考慮著他的提議，在這麼多戲劇化的紛擾之後，妳不確定想自己一個人待著，也許他真的就像達西先生一樣，外表帶刺但內心柔軟。

「好啊。」妳說。

「太好了，」他再次微笑。「聽我說，我知道我之前很嚴厲，有點不近人情，那是因為工作上需要。」

「沒關係，」妳說，「我懂。」這場冒險使妳仍然有點脆弱，所以並沒注意到周遭環境的變化，直到你們往威廉斯堡橋駛去，將曼哈頓的燈火拋在腦後。

「去過布魯克林嗎？」他問，妳搖搖頭。他說他在布魯克林高地長大，後來社區重建，房價飆漲，導致多數當地人只好往外遷移。「我幾年前搬到威廉斯堡來，」他說著，「我愈來愈喜歡這個社區。」

他開上一條街，沿路滿是手工烘焙坊、古董家具店和喝著拿鐵、叼根菸的時髦人士。這是個藝術社區，不像包恩探員這種看似傳統保守的人住的地方。他轉進一條種滿樹木的小街，入秋的樹葉逐漸變為橙黃相間。他在一棟公寓的紅色大門前停車。

「就是這裡？」妳說，「看起來不像餐廳。」

他又微笑。「如果妳不介意的話，我得先處理一件家務事。」他開門，示意妳走進飄著薰衣草與炒洋蔥味道的玄關。妳的胃又發出叫聲。妳跟著他上樓，到達另一道紅色門前，他一開門，一團毛球跳出來。

妳低頭看著一隻白色小貴賓狗，繞著包恩探員的腿又叫又跳。

「這是曼奇。」

曼奇靜下來，坐在妳腳邊，伸起一隻腳掌，妳蹲下輕輕跟牠握個手。

包恩探員讚許地微笑。「牠喜歡妳。牠不是對每個人都這樣。」

「牠好可愛。」妳又摸摸小狗，站起身來。「我沒想到你是會養貴賓狗的人。」

「是啊，很多人都這麼說。曼奇本來是一個鄰居老人養的，她去世之後，我算是把牠繼承了過來。」

現在妳開始有點了解這個人了，他其實只是外表嚴肅。

妳跟著他走進公寓。裡面簡約溫暖，反映出他的個性：磚牆、木頭地板和擺滿文學創作與厚重犯罪驚悚小說的書架。

「我得帶曼奇去蹓蹓，」他說，「妳想加入我們嗎？」

妳點點頭。妳正需要來點新鮮空氣。小狗在妳腳邊跳躍，你們在社區裡漫步，走向河邊廢棄的工廠，彼此間有種奇特而友善的靜默。一群活潑的孩子從對街向包恩探員大聲打招呼，他用西班牙文跟他們聊了幾句。你們轉過街角，看到遠方燈火璀璨的曼哈頓。這一切似乎有點不真實。

妳停下來呼吸帶點海水鹹味的涼爽空氣。「真是神奇的一天。」妳說。妳突然無預警地開始簌簌發抖，壓力充斥在妳的胸腔。妳無法控制自己，開始啜泣。

「嘿。」包恩探員輕聲地說，把妳擁進懷裡。妳試著控制住自己，頭倚著他的胸膛，他用大衣包住你們倆，身上的熱度溫暖著妳。「這是因為驚嚇，」他低語，「遲來的反應，這很正常。」

妳過了好幾分鐘才停止發抖，但妳現在覺得平靜多了。妳退後一步，曼奇撲向妳，發出哀鳴。妳擦掉眼淚，摸摸小狗的頭。

「對不起，」妳對包恩探員說，「我把你的襯衫弄溼了。」

「沒關係。我想該是餵飽妳的時候了，我們回家吧。」

你們回家的路上，妳問起他的生活與事業。十年前他當完兵後便加入了國土安全部，前一段婚姻和平結束，沒有孩子。妳很驚訝他對私生活毫不保留，暗自覺得回他家的這段路結束得太快。

回到公寓內，他問：「吃點家常菜如何？」

「聽起來很棒。」

他放音樂，是輕柔的藍調歌曲。妳跟著他走進廚房，廚房看起來是這公寓裡最大的空間，並且具有專業水準，開放式櫥櫃和架子上放滿了香草、香料、豆類罐頭和橄欖油瓶。

他先餵曼奇，然後替妳倒了一杯紅酒。妳啜飲一口，找地方坐下。

「來。」他說。妳還來不及拒絕，他就雙手扶住妳的腰際，把妳抱起來讓妳坐在寬廣的流理檯上。「在這裡陪我。」

曼奇趴在他腳邊，他脫下外套，捲起袖子，露出健壯的手臂，從蔬菜架上拿出幾顆紅洋蔥。

「妳覺得古巴菜如何？」他說，「很道地的，我祖母教我的。」

「我不太懂，但既然有你祖母背書，聽起來值得一試。」

妳看著他切碎洋蔥，下鍋翻炒，然後將一大把清香的芫荽放進切碎的蔬菜堆中，再加上青椒和大蒜，最後擠上新鮮萊姆汁。

「我有新鮮的鮪魚排，」他說，「我覺得我們可以一起吃，配 frijoles negros，也就是黑豆，以及莎莎醬。」

他打開冰箱，拿出看來是自製的沾醬。他將鮪魚放進綠色雜菜裡，加上洋蔥，煎烤的滋滋聲和食物香氣使妳口水都要流下來了。

「來，試試這個。」他遞給妳一匙辣醬，然後用手指輕點妳嘴角。接著，他出奇不意地吻了妳，妳同時感到了安慰、自在且不可思議的火辣。妳長嘆一口氣，雙手環抱著他的脖子，整個人靠向他懷裡。

如果妳不想停止，請翻至第252頁。

如果妳覺得停下來才是明智之舉，請翻至第255頁。

妳不想停下來

「我這樣太不專業了，妳是證人。」他嘟囔著，在妳的脖子上印下羽毛般的輕吻。妳偏著頭讓他更方便行事。經過今天的驚嚇，妳不想再動任何腦筋，妳只想跟著感覺走。他的嘴輕輕啄咬著妳的肩膀，又沿著下巴線條往上，帶給妳的快感使妳只在乎此時此刻。

「但我不是專業人士，」妳輕聲說，「這當然可以有點彈性吧？」妳溫柔地沿著他的耳緣舔弄。他全身輕顫，妳的雙腿繞在他的腰間，不讓他逃開。

你們再次親吻，深深地，緊抓著彼此的背，拉扯著彼此的衣服。「等一下。」他說。妳抱怨：「不要。」他低低地笑，伸手關掉爐上的瓦斯，把妳的酒杯移到遠處。

妳掙扎著脫下外套，解開襯衫，他的手急切地伸向妳仍包在胸罩裡的雙峰。妳抬起臀，用力抵著他的胯下，妳在那合身的長褲裡明顯感覺到了硬挺。妳拽著他的皮帶和拉鏈，因為自己的動作笨拙而挫折大吼。接著妳找到了真正的目標，他的勃起透過內褲頂著妳，妳伸手進去解放它。

他呻吟，以同樣的享受回敬妳，伸手到妳裙下勾住妳的底褲，他用力一扯，害得鬆緊帶都彈了一下。

喔，天啊，該拿保險套了，但他搶先妳一步。幸好，他還記得放在哪裡。他把手伸進妳的手提袋。

「看，」他拿出來時對妳微笑。「我找到違禁品了！」

「這才是女孩最好的朋友，比鑽石還棒。」妳喘息著說，伸手幫他戴上。

妳的身子微微往後傾，一手仍勾著他的肩，另一隻手撐著檯面讓他更容易進入。他用力頂開妳，滑進妳體內，幾乎是粗魯地深入挺進，使妳忍不住呻吟。妳把腿抬得更高，勾住他結實的後背，這個角度容易多了，你們一起找到節奏，開始用力強勁地占有彼此。他的動作既情色又猛烈，但隨之而來的吻卻熱情浪漫，他柔順的唇舌和衝刺妳小穴的硬挺分身形成了強烈的對比。

很快地，他全身不斷抖動，低吼著勁射出來。他依然抱著妳，分身也仍然在妳體內，氣喘吁吁地道歉。「剛剛有點太快了。但請讓我帶妳去臥室，再慢慢來一次如何？」

稍晚，妳躺在他床上任他摟著妳，妳開始感到內疚。「我跟別人約好了。」妳說。

妳不想離開，但妳也不想讓「紐約螢火蟲」一個人在帝國大廈頂樓等妳。

「我們想辦法讓他知道妳不去了，如何？」包恩探員說。

「怎麼做？我沒有他的電話號碼啊。」

他微笑，打電話請接線生轉到帝國大廈的保全組。「妳想怎麼說？我可以請保全通知他。」

妳還是覺得讓「紐約螢火蟲」空等有點內疚，但妳告訴自己明天可以發訊息給他，為妳的爽約道歉。「告訴他我被耽擱了，走不開。」

妳回到傑森·包恩的懷抱，不知道這一切將會如何發展下去。

他似乎讀出了妳的心思，把妳拉到他的身上。「一切都還沒結束呢！」他說，「而且，妳還得回來紐約出庭，不是嗎？」

（全書完）

妳決定停止才是明智之舉

妳從他的懷裡退開。你們倆都上氣不接下氣，妳全身抖個不停。「不行，」妳說，「我們才剛認識，而且……」

「我知道，妳要去見那個男人。」

「讓他自己一個人在那裡傻等很殘忍。」

他溫柔地拉開距離。「更別說，和證人上床也不是個好主意。對不起，我不該勾引妳。」

「沒關係，」妳從檯子下來。「但我最好還是離開吧。」

「妳不能餓著肚子離開。」

妳懷疑，如果留下來吃飯，妳會忍不住再吻他。「我真的得走了。」妳遺憾地說。

他點點頭。「至少讓我載妳過去吧。」

妳考慮著，但是讓一個可能的戀愛對象送妳去見另一個可能的戀愛對象，妳不確定這樣做算不算失禮。「沒關係，我可以搭地鐵。」

妳扣好外套，包恩探員指引妳最近的地鐵站方向。妳不知道自己是否做了正確的決定，妳摸摸曼奇，向牠道別，然後轉身走進夜色當中。

「佩蘭灣公園，最後一站。」自動廣播聲響起。

妳抬頭。喔，不會吧，這不是妳的站，妳應該要在中央車站下車的！

妳離開威廉斯堡（路上停下來吃了一支添加各種佐料的熱狗）後，回到飯店沖澡，穿上黑色小洋裝，算算時間還很足夠，於是決定捨棄計程車，改搭地鐵去帝國大廈。但妳一直在作白日夢而沒有注意到站名，結果一路坐到終點站——天知道這是什麼鬼地方。妳跳下車，向一群戴著耳機的當地小孩問路。他們熱烈地為妳解答，聽起來似乎不是個難題。妳匆匆忙忙趕到車站另一側，好趕搭開往中城的列車往回走。

妳坐在空無一人的板凳上，十分鐘過後還是沒有車來，妳聽到廣播，六號車因為卡索丘有「乘客受傷事故」而延誤。半小時過後，妳更加焦慮不安。又過了五分鐘，妳終於決定離開車站去搭計程車。但妳才剛走到樓梯口，地鐵就進站了，就算妳回頭狂奔還是不可能趕得上。

妳匆忙走出地鐵站，打量著四周陌生的環境。這區不像妳已經習慣了的曼哈頓那麼人聲鼎沸，妳足足等了二十多分鐘才攔到一輛空的計程車。妳懷抱著一絲希望，拜託司機開快一點，司機答應了，但似乎還是花了好幾個小時才抵達中央公園。司機轉彎開上百老滙街，然後抄進一條車流量較少的街。妳抱怨連連，前方穿著螢光背心的工人正在封鎖這個街區。妳被困住了。

「還有多遠？」妳問司機。

他指引妳方向。從這裡走路過去很容易，但不用懷疑，妳絕對會遲到。妳脫掉高跟鞋，跳下計程車，衝到人行道上。煙霧從地鐵排氣孔噴出，聞起來竟然有洗衣精的味道。妳閃躲著一群穿牛仔垮褲的人和吵雜的韓國遊客，差點撞上一群跌跌撞撞走出壽司餐廳、喝得醉醺醺的生意人。妳從他們中間鑽出來，冒著生命危險穿過第五大道，閃躲著計程車和橫越馬路的行人，高聲咒罵的砲火攻擊使妳打了個哆嗦。

妳氣喘吁吁，滿身大汗，一路衝進帝國大廈，匆忙地買了入場券，拔腿往電梯跑去。「快點，快點。」妳喃喃自語，電梯往頂樓緩慢上升。

「別慌，親愛的。」年老的電梯操作員說，慈祥地看著妳。「如果他值得，他還會在的。」

妳感激地對他微笑。妳踏出電梯，往觀景台走去。它比妳想像的大得多，妳發現如果「紐約螢火蟲」也在到處找妳，你們可能會錯過彼此。不過，這麼晚了，旅客不多。妳看到一位穿著短夾克的帥氣男子正靠著柱子看錶，妳心動了一下，但一位金髮女人走向他，他們擁抱在一起。除了一個咬著指甲的美麗女子跟妳一樣失落之外，妳遇到的每個人都成雙成對，妳覺得尷尬又寂寞。妳茫然地走著，不太在意眼前那令人嘆為觀止的夜景。妳走到最後一個轉角，覺得自己就快要哭出來了，這時，望遠鏡旁的地上有樣東西吸引了妳的目光——是一本《傲慢與偏見》和一朵壓扁的玫瑰。

妳彎腰撿起來。太遲了，妳來得太遲了。

「是妳嗎？」

妳轉身，看到一個身材壯碩、面容友善中帶點粗獷的男人走向妳。

「螢火蟲？」妳滿懷希望地說。

「對，是我。」他完全不像邪惡空警或傑森．包恩探員那種典型俊男，但他深邃的眼睛溫暖有神，妳馬上覺得跟他在一起很安心。

「真抱歉，我遲到了。」妳說。

他揚起嘴角，眼角笑出了魚尾紋。「妳現在來啦。而且如果有必要的話，我會等妳到早上的。」

老天，妳向交友網站「真愛配對」致敬，妳似乎找到了一個真誠的好男人，幸好妳沒有讓他白等。

請翻至第265頁。

妳決定搭艾西絲的便車

艾西絲在車陣中穿梭，像技術高超的賽車選手一般緊急煞車又轉彎。「這樣吧，」她邊說邊咒罵著擋到她路的計程車司機。「妳回飯店梳洗之後，我們一起去吃點東西如何？」

有何不可？妳想。妳喜歡有艾西絲作伴，這樣也可以省去找地鐵的麻煩。可惜妳沒買到新衣服，但妳帶來的那件黑色小洋裝也綽綽有餘了。

艾西絲把車停在離妳飯店大約一條街外的禁停區，將寫著「公務中」的卡片放在儀表板上。「這是幹這行的好處。」她說。

妳總不能要求艾西絲在車上等妳換衣服，所以妳邀請她到妳房間來坐。櫃檯接待人員把鑰匙拿給妳，用眼神表示對艾西絲的讚許，顯然覺得妳在挑選同伴這方面品味優秀。搭電梯上樓時，妳總是能清楚聞到她肌膚上的辛香氣息。妳退後一步讓她先進房，懷疑妳們之間的火花是否只是妳單方面的想像。

「真不賴，」她說，坐在床上彈著。「那我就不客氣囉？」

妳要她別拘束，就當自己家一樣。她脫下外套，往椅子上一丟，抓起電視遙控器，然後往後躺在床上。

「我要泡個澡。」妳說。

「好主意，妳慢慢來，妳還有好幾個小時可以揮霍。」

妳把水開到最熱，倒進所有的免費泡泡浴備品，然後浸入水裡，感覺這一整天的壓力從全身的肌肉中緩緩釋放出來。

「妳在裡面還好嗎？」艾西絲在門外喊。

妳一定是睡著了，泡泡都融化了，但水還是溫的。

「一下就好！」妳爬出浴缸，隨意梳了下頭髮，裹著浴巾出去找艾西絲，她坐在床沿。

「好多了嗎？」她問。

妳開口回答，突然不知怎麼了，妳呼吸急促，開始啜泣。

「嘿，」艾西絲說著，沿著床緣過來摟住妳。「沒事了。」

「我根本不知道我為什麼會哭。」

「是驚嚇。」她撫摸著妳的脖子，妳發現她的手好暖。

妳看著她的眼睛，她用手指拂過妳的唇。

等一下！妳在幹什麼？妳明明幾小時後就要去見「紐約螢火蟲」。

「不行，」妳說，「我很想……但我答應別人了。」

艾西絲嘆氣，溫柔地離開妳身邊下了床。「妳說得對。我這樣其實也很不專業。畢竟妳是我們的王牌證人。」

「現在怎麼辦？」妳問，把圍在身上的浴巾包得更緊。

艾西絲對妳微笑。「去唐人街吃脆皮烤鴨如何？」

「妳還是想跟我共進晚餐？」

「當然，我以前也被拒絕過，我承受得住啦。」

妳很懷疑像艾西絲這種大美人會有多少被人拒絕的經驗，但她的坦然接受讓妳鬆了口氣，而且妳必須老實承認，是有點遺憾。妳還有幾個小時的空檔，肚子也餓得咕咕叫。

「我還知道晚飯後有個地方可以喝點小酒，就在妳最終目的地的附近。」

妳回她一個微笑。「聽起來很棒。」

這是妳這輩子吃過最棒的晚餐之一。餐廳坐落在唐人街尾端一扇隱密的黑色大門裡，妳們大啖北京烤鴨、甜麵醬與薄餅捲。艾西絲挑選的酒吧和帝國大廈只隔了一條街，正是妳喜歡的風格，有著舒適的包廂和許多木頭裝飾。妳們在包廂坐下，艾西絲點了兩瓶啤酒。

妳觀察了一下其他顧客，眼光被一位獨自坐在吧檯前的黑髮寬肩壯碩男子所吸引。他慢條斯理地啜飲著威士忌，眼睛盯著前方。妳注意到他面前的物品：一本《傲慢與偏見》和一朵紅玫瑰。似乎感覺到妳的視線，他轉過身盯著妳看。妳一時無言以對，手伸進皮包裡拿出妳自己的那本書。

他驚喘一口氣，回過神後，表情漸漸轉變成微笑。他站起身往妳走來。

艾西絲看了妳一眼。「妳認識他？」

「螢火蟲？」妳對他說，他點點頭。他不是傑森．包恩或邪惡空警那種典型俊男，但他的儀態很有自信。他的面容堅毅粗獷，但眼神溫柔。妳有點希望看到他穿起消防員制服的樣子，但目前妳沒有選擇的權利。

他疑惑地看著艾西絲，顯然很好奇為何這位可能是全紐約最辣的女人竟然在一旁陪著妳。妳介紹他們認識，她收拾好自己的東西。「我該走了，讓你們倆繼續吧。」

如果妳想向艾西絲說再見，請翻至第263頁。
如果妳請她留下再喝一杯，請翻至第270頁。

妳向艾西絲說再見

妳送艾西絲到門口。「謝謝妳做的一切。」妳對她說。

「我才應該謝謝妳，如果不是妳反應快，咖啡廳裡的情況可能會變得更糟。」她遞給妳一張名片，輕輕地刮了一下妳的掌心。「如果妳跟消防員不來電，妳知道可以打給誰。」

「謝謝妳，今天很……」妳思索著正確的字眼。「與眾不同。」

她嫣然一笑，傾身向前輕吻妳的臉頰。「祝妳好運，我們再聯絡。」

妳看著她離去，酒吧裡的其他顧客也同樣色瞇瞇地看得目不轉睛，妳不禁對本來可能會發生的事感到好奇。

妳回到包廂裡，對著螢火蟲微笑。妳發現，妳一和這男人在一起立刻有種自在感，彷彿你們已經認識了很久。

「我以為妳在紐約沒有認識的人。」螢火蟲說。

妳深吸一口氣。「說來話長。」妳說，描述起今天的冒險故事。他凝神傾聽，問的問題都很適當，顯然是在執法單位長期工作過的人。妳一說完，他就伸手握住妳。「妳一定累壞了。」

但妳現在最不想做的事就是睡覺。「其實，我非常清醒。」

「那麼，」他說，「我們相遇了，不如就去本來約定好的地點吧？」

「不去就太可惜啦。」

你們過街時，他牽著妳的手。他的手掌溫暖，大大的手幾乎快把妳的小手吞掉，妳才發現和他在一起妳覺得多麼安全。

請翻至第265頁。

你們在帝國大廈頂樓

妳透過頂樓圍欄向下看著這座城市，克萊斯勒大樓的燈在頂樓周圍形成一圈光暈。

「好美啊。」妳屏息讚嘆。

「沒錯，」螢火蟲說，「我百看不厭。」他攬著妳的肩膀。「嘿，我要謝謝妳沒有因為我可怕的拼字能力而批評我，我有一點閱讀障礙。」他伸出雙手，它們真的好大。「這些手指打字的本事不怎麼樣，只會幫倒忙。」

你們看著一個氣喘吁吁的男子跑出電梯，四處張望，接著衝向妳剛到這裡時看到的一位神色慌張的女子。他們說了幾句話，然後擁抱在一起。

「看來不是只有我們有這個想法。」妳說。

螢火蟲微笑。「在這裡等著。」

「你要去哪裡？」

「等我一下。」

他走進觀景台大廳，妳回頭再次欣賞著美景，感覺心情極度平靜。幾分鐘後，他拿著一瓶凱歌香檳[17]和兩只杯子回來。「我認識這裡的保全小組，請他們幫我先冰起來。」

「要是我沒來怎麼辦？」

他微笑。「那我就自己喝光囉，借酒澆愁。」

他打開軟木塞，看到香檳氣泡從杯緣溢出的樣子，你們倆都笑了。你們互相碰杯，啜飲著泡沫豐富的酒液。

你們享受了一會這靜謐而自在的氣氛，喝著香檳。隨後他取走妳的酒杯，放在妳身旁的平台上，對妳說：「我可以吻妳嗎？」

妳點點頭。他捧起妳的臉親吻妳，他的舌頭柔順，同時卻也很急切，那毫無矯飾的愉悅使妳喉間升起一個硬塊。

「我們該不該去隱密一點的地方？」他輕聲說。

妳再次點頭，你們一起走向電梯，緊緊牽著彼此的手。除了電梯操作員，你們是唯一的乘客。等著電梯下降時，妳忽然有個邪惡的念頭。妳拉拉螢火蟲的手，他彎身附耳過來。

「要是只剩下我們兩人，而電梯就這樣停住了怎麼辦？」妳低語。

「妳的意思是，例如，有人按下了停止鈕？」

妳點點頭。

螢火蟲轉頭向一臉和善的操作員說了些悄悄話。那人笑了起來，然後對你們說：「我現在是休息時間，你們不介意幫我操作十五分鐘吧，兄弟？」他對螢火蟲眨眨眼。

「我想我可以搞定。」

操作員走出電梯，門關了起來，電梯嗡嗡往下。螢火蟲按下停止鈕。「所以妳到底想做什麼？」他問。

妳不敢相信自己竟然如此魯莽。「喔，親愛的，」妳假裝嚴肅地說，「電梯卡住了，我們該做些什麼來消磨時間呢？」

螢火蟲牽起妳的手，十指緊扣，視線牢牢鎖著妳，把妳拉到懷裡摟著，親吻妳時幾乎快把妳抬離地面。

妳不知道是今天殘留的亢奮因素，或是他性感的氣味與曖昧的距離，但妳從沒有這麼想要過一個男人。這是妳最瘋狂的幻想即將成真的時刻，妳要將這一刻永遠留在心中，不斷回味。

「我以前從未做過這樣的事。」妳說。

「妳是說哪一部分？」

「我從沒有在和別人見面後這麼短的時間裡就來電，我也沒和別人在帝國大廈電梯裡親

---

17 凱歌香檳（Veuve Clicquot）為法國知名香檳品牌。

熱過。」

螢火蟲的臉亮了起來。「妳是說妳想要……？」然後他皺眉。「但我沒有保險套，我不確定……我是說，我想要，但我不想顯得……」

妳伸手進艾西絲給妳的那個手提袋。「我有準備！」

「妳有？」

「那當然！我相信成人做事要有責任感。」

你們不停親吻著，妳揪著他的頭髮，又摸向他肌肉起伏的肩膀。他的手撫摸著妳的背、妳的肩，然後從領口拉下妳的洋裝，扯下妳的胸罩肩帶，撫摸妳的雙峰。他把頭埋進妳的乳溝，妳的手指在他背上游移。

妳解開他的皮帶和牛仔褲，拉下拉鏈，指尖伸進底褲裡去，來回撫摸著他迅速脹大的勃起。他的手伸進妳裙下，扶住妳的臀，拉開妳的底褲。所有的矜持消失無蹤，妳握住他的硬挺，感到他將兩隻手指探入妳的小穴，挺進妳柔軟火熱的核心。

妳用牙齒撕開保險套，吐掉那銀色鋁箔的包裝，身體往後靠向鏡子，他協助妳一人一手將套子戴上他的分身。接著他輕鬆地將妳舉起，妳感覺自己幾乎像空氣一樣輕盈。妳用雙腿箍著他的腰，高跟鞋敲著地面喀啦作響。他將妳抵在鏡子上，堅硬的勃起頂著妳的蜜穴。他順利滑進妳體內，你們就像是天作之合。

螢火蟲不斷挺進，建立起一波節奏將妳快速帶向高潮邊緣。他撐開雙腿保持平衡，雙手固定著妳的臀部，緊擁著妳持續衝刺。

妳已瀕臨崩潰，忍不住縮緊小穴裹住他，令他呻吟出聲，妳閉上眼，享受著他在妳體內抽插帶來的快感。妳很快就感到天旋地轉，高潮猛烈地爆發。螢火蟲退後幾步，靠上操作面板，電梯隨即發出聲響，開始移動。他用力衝刺幾下之後勁射而出，隨著電梯嗡嗡向下行進，這種無重力的狀態更令妳狂喜難抑。

螢火蟲喘息著，小心翼翼地放妳下來站好。你們倆都穿回了衣服，一邊喘著氣一邊咯咯發笑。不久後電梯漸漸慢了下來，抵達一樓。

螢火蟲牽著妳的手，你們一起走出電梯，妳猛然想起保險套的包裝還丟在電梯地板上，那是剛才那場火熱性愛的沉默見證。除非裡面還裝了監視攝影機。好吧，反正你們絕對不是第一對在電梯裡做愛的情侶，但妳很確定你們是最熱情的。

「現在我們已經打破初見面的尷尬了，接下來的時間妳想做些什麼呢？」螢火蟲說。

「我想我要多認識你……只有一次是不夠的。」妳說，伸手摟住他的腰。

（全書完）

妳請艾西絲留下再喝一杯

艾西絲為大家點了特大杯長島冰茶，妳慢慢地喝——這種飲料會讓人緩慢地沉入醉鄉。經由酒精的壯膽，妳向螢火蟲訴說起妳的冒險故事，巧妙地避開不提那位空警有多性感。他認真聆聽，不時插嘴表示希望你們能早點交換電話號碼，妳就能打給他請他幫忙。

「她棒極了，」艾西絲說，「真的很勇敢。」妳報以微笑。話題轉向螢火蟲的職業。

「你在哪個分隊？」艾西絲問。

「救援一隊，在地獄廚房。」

艾西絲覺得很佩服。「救援隊嗎？」她向妳解釋，救援一隊是紐約消防局最精英的團隊，可惜在九一一攻擊事件時幾乎失去了一半的隊員。她對妳說：「妳朋友有著鋼鐵般的勇氣。」

螢火蟲謙虛地聳肩，彷彿每天冒著生命危險出勤沒什麼了不起。妳因此更喜歡他了。

「我們有機會參觀消防隊嗎？」妳問他。

「什麼，現在嗎？已經凌晨一點了，妳一定累壞了。」

妳發現酒吧裡已經沒有其他的顧客，服務生顯然在等你們離開。

「我一點也不累，」妳說，「而且，你不是答應要給我看你的頭盔嗎？」艾西絲差點把酒從鼻孔噴出來。

螢火蟲搖搖頭，笑了起來。「好吧，我是代理隊長，而艾西絲是政府官員，我認為應該沒問題。」

「艾西絲，妳想去嗎？」

「當然，」她說，把酒一飲而盡。「我們走吧。」

艾西絲叫了計程車，你們一起擠進後座。妳夾在他們之間，兩人的腿都緊貼著妳。司機顯然以為自己正在拍動作片，不但喜歡急轉彎又愛緊急煞車，害妳跌在螢火蟲身上。他用手臂摟著妳肩膀讓妳坐穩，妳沒有拒絕。他的手指輕輕掠過妳的腰，你們偷偷對彼此微笑。

到了消防隊，妳和艾西絲跟著他走進側門，他帶妳們到處參觀。消防隊的設備相當充足，有健身房和食材豐富的廚房。螢火蟲也帶妳們去看了康樂室，幾個在看《魔法奇兵》[18]重播的猛男抬起頭來。

18《魔法奇兵》（*Buffy the Vampire Slayer*）為一九九七年及二〇〇三年間播映的美國電視影集，敘述女主角對抗吸血鬼、惡魔及黑暗勢力的故事。

「我以為你休假耶，老大。」其中一人一邊說，一邊很快地打量起妳和艾西絲。螢火蟲和他們聊了幾分鐘，然後示意妳們走進一條牆上貼滿告示的狹小走廊。

他打開走廊底端的一道門。「這是隊員睡覺的地方。」你們走進大房間，裡面有幾張床、幾張沙發和一個冰箱。

妳在舒適的L型沙發上坐下，腳翹在老舊的茶几上。「每天冒著生命危險保護人們，你們不害怕嗎？」

艾西絲在妳旁邊坐下，螢火蟲從冰箱裡拿出啤酒遞給妳們。「我早就習慣了，根本不再想了。」艾西絲說。「從五歲開始，我就一直想當警察，做為一生的職業。」她懶洋洋地打量著妳的身體，眼神中充滿暗示。

「我該迴避一下嗎？」螢火蟲問，注意到妳們之間的火花——怎麼可能錯過？

妳覺得很糾結。妳不否認自己深受艾西絲吸引；妳無法忘記剛才在飯店房間裡差點吻了她。但還有螢火蟲，宛如妳的美夢成真。一個無比性感、勇猛的消防員，而且顯然貼心、仁慈又溫柔，妳有提到他很火辣嗎？

喀嚓一聲，然後房內一片漆黑。

「又來了！」螢火蟲說，「這棟消防隊很舊了，管線也是，老是斷電。茶几抽屜裡應該還有手電筒、蠟燭和火柴。」

「消防隊裡有蠟燭？」艾西絲說，「這樣不是違反規定嗎？」

「是啊，但有什麼辦法？」他說，「我最好去幫忙弟兄修理發電機，我會盡快回來。」妳聽到他離開，關上了門。

妳的眼睛漸漸習慣了黑暗，妳看到艾西絲的身影忙著找火柴來點蠟燭，她把蠟燭插進空瓶子裡。

「我覺得這樣比手電筒好。」她低聲說。

她在燭火下看起來更性感了。房裡靜得嚇人；妳只聽得見血液在體內竄流的聲音。艾西絲別過頭來，她的唇暗示著想吻妳的慾望，妳既緊張又興奮，但興奮贏過了一切，妳對她點點頭。

她主動迎向妳，她靠得好近，妳的脖子能感覺到她的氣息。妳閉上眼睛，幾秒之後，妳感到她的唇吻住妳，她柔軟的嘴和舌頭貼著妳的感覺好奇妙。

艾西絲持續用舌頭愛撫妳，左手往上摸著妳的胸部。妳呻吟，回應她的撫觸，用手指在她的脖子與雙乳試探。她的身體和男人好不一樣；她很健壯，但肌膚柔軟，身材像妳一樣凹凸有致。她拉下妳洋裝的拉鏈，熟練地解開妳的胸罩，手指在妳的裸胸游移，挑弄妳的尖端。妳闔上眼，頭往後仰，妳們倆的呼吸開始愈來愈急促……

男人清喉嚨的聲音把妳們嚇得回過神來。妳從艾西絲身上彈開，看到螢火蟲站在沙發旁的燭光下。

「對不起，我無意打擾，」他漲紅著臉說，「發電機無法發動，史都正在修，大概十五分鐘後就會恢復運作。我不打擾妳們了……」

「不，別走。」妳說，拉起衣服遮掩好自己。妳和艾西絲間的化學反應很明顯，但妳對螢火蟲也有相同感覺。也許，妳可以兩者兼得。

「留下來好嗎？」妳問，轉頭看著艾西絲，想要她同意妳的提議。「除非妳覺得不妥，艾西絲？」

「嘿，愈多人愈歡樂。」她說著，抓起他的手腕拉他過來。「喔，隊長！我的隊長！」她愉快地說，妳們倆都發現了他牛仔褲前端的隆起。

妳跪在沙發上拉著他，他跨過來加入妳和艾西絲。妳想讓他覺得自在，於是捧起他的臉吻他，明顯察覺到他和艾西絲的不同。他的臉較大，有稜有角，鬍碴觸感舒服，他的舌頭較寬大但更積極。

妳親吻著螢火蟲，艾西絲則吻著妳的脖子和耳垂，手指再次撫弄起妳的雙峰。你們三人在沙發上親熱纏綿，用手與舌頭彼此撫慰觸摸，挑逗磨蹭。

妳躺下，閉上眼睛，讓愉悅的體驗沖刷過全身上下。螢火蟲脫下妳的底褲，跪在妳腿間，用嘴探索著妳炙熱的小穴，先是找到妳的小蒂，然後撥開妳的蜜唇，使妳忍不住大聲呻吟出聲。

妳羞得不敢睜開眼睛，衣物被脫去後，可以感覺到涼爽的空氣輕拂著妳裸露的肌膚。妳用心感受這一切：舔拭妳小穴的舌，撫弄妳雙峰的手指，探索妳櫻唇的舌，結合成一波波侵襲妳的狂潮。

螢火蟲把妳的腿搭在他的肩上，拇指揉搓著妳的小蒂，舌頭不斷在妳體內進出。同時，艾西絲則慢慢離開妳的嘴，跪在沙發邊，一手伸向螢火蟲的長褲。他停下動作，好讓艾西絲脫去他的牛仔褲和底褲，露出挺立的粗大勃起。

妳看著艾西絲優雅地脫掉上衣，全身上下除了丁字褲，什麼都沒穿，她的嬌軀和豐滿的雙峰在燭光下極具誘惑力。

她跪在螢火蟲面前，彎身舔拭他的尖端，然後一口氣含進嘴裡。螢火蟲低吼一聲，然後回到妳的小穴，繼續舔拭妳的小蒂。妳感受著迷濛的愉悅，忍不住欣賞起身旁艾西絲的背與美臀，她正有節奏地吸吮著螢火蟲的勃起。

妳伸手撫摸她的臀瓣，探索她如絲般的柔嫩肌膚。她的大腿稍稍分開，妳好奇地想知道她蜜穴的觸感。妳的手指滑下她臀部的縫隙，感受她炙熱潮濕的私處，覺得既陌生又熟悉。妳好奇地探索著她，她迎合著妳的手指，顯然想要更進一步。妳先伸進一隻手指，她的內壁收縮，將妳的手指吸了進去。她呻吟著，騎著妳的手指，於是妳又加入另一隻，伴隨著螢火蟲的嘴品嘗妳小蒂的節奏，他專注熱烈地品嘗妳，雙手固定著妳起伏的臀部。

妳再次闔上眼，任由快感放縱，艾西絲從妳的手指上離開——她捨棄螢火蟲的分身，再次親吻妳，舌頭探進妳的口中。

妳聽到撕開保險套包裝的聲音，接著換成螢火蟲吻上妳，更用力猛烈但相當舒服。嘴唇與牙齒照顧著妳一側的乳頭，柔軟的手在另一側，螢火蟲的硬挺尖端碾揉著妳的小蒂，妳忍不住拱起身子蠕動不停，直到它推進妳體內。

現在，堅挺的勃起充滿著妳，嘴裡的舌頭探索著妳，另一張嘴則品嘗著妳的雙峰。有一雙手在妳身上徘徊，愛撫著每一寸肌膚，螢火蟲——至少妳覺得是他——緊緊扣著妳的臀，在妳體內衝刺，你們的肌膚相互碰撞，三人都忍不住大聲地呻吟。

妳抓住螢火蟲的臀，要他更挺進妳，要他充滿妳。艾西絲柔嫩的手抓住妳的手，放到她小腹的位置。這次，妳知道怎麼做了。妳撫摸著她蜜穴的入口，先插進一隻手指，然後兩隻，三隻，伴隨著妳體內快速抽插的勃起衝刺。她騎著妳的手，而螢火蟲騎著妳，妳的眼仍緊緊閉著，喘息感受來自體內深處的高潮強烈爆發。妳感覺到艾西絲的小穴也緊縮泉湧，內壁緊緊地夾著妳的手指。

妳深呼吸，滿身大汗，螢火蟲使勁加速，在妳體內猛衝，然後大吼一聲迸射而出。螢火蟲與艾西絲終於都癱倒了下來，妳精疲力盡，眼睛緊閉，不想面對現實，依然享受著在妳高潮後敏感肌膚上的撫觸，可能是螢火蟲或艾西絲的手，但妳現在還不想弄清楚。等等……妳聞到的是煙味嗎？剛剛是很火熱沒錯，但不可能是真的著火吧？

「有人聞到煙味嗎？」艾西絲問。

喀嚓一聲，燈亮了。妳眨眨眼，發現房裡煙霧瀰漫。

「失火了！」艾西絲和螢火蟲同時大叫，兩人立即分頭行動，妳則瞠目結舌地坐在沙發上。妳的衣服一定是被丟到蠟燭上了，螢火蟲的《傲慢與偏見》更助長了火勢，火苗已經竄到茶几底下了。妳聽到嘶嘶的噴水聲，然後忽然下起雨來。灑水器冰冷的水澆在妳赤裸的身上，使妳驚慌大喊。火勢很快被撲滅，但本來可能被燒焦的危險，現在變成可能會被凍死。

「我最好帶妳出去。」螢火蟲說著，把妳從沙發抱起來往門口走去，四個男性消防員正好衝進來。

他們看著自己的老大一絲不掛地站在房裡，抱著一個裸體女子，還有同樣脫得精光的艾西絲正忙著用外套撲滅餘火，氣氛一時極度尷尬。

消防員驚嚇的表情從疑惑轉變為歡樂。「需要幫忙嗎，老大？」其中一人噗嗤笑了出來。

「你知道規矩的，隊長，」另一個說，「消防桿一次只能一個人用。」

「一切都在我們的控制之下，各位。」螢火蟲說，他令人意外地還能保持嚴肅。消防員們一邊笑著拍拍彼此的背，一邊走出去。幾秒之後，灑水器停了。

螢火蟲輕輕把妳放下，艾西絲打開窗戶讓煙飄出去。

妳發著抖，全身泛起雞皮疙瘩。

「你會因此惹上麻煩嗎？」妳問螢火蟲，災害並不嚴重，但妳絕對需要買件新衣服。

「不會啦，只是接下來幾個月我得乖乖忍受大家的嘲弄。」他笑著說。「不過很值得，絕對是我經歷過最火熱的情況之一。」

妳的牙齒開始打顫，螢火蟲伸手拿來幾件外套，蓋在艾西絲和妳的肩上。

「你呢？」妳說，「你的衣服都溼了，你要怎麼取暖？」

「這個嘛，我們有公共澡堂，電力也許不穩定，但熱水是用瓦斯供給的。」他說。

妳轉頭看艾西絲，她聳聳肩，然後緩緩露出微笑。「妳去我就去。」她說。

「好，」妳對妳的新玩伴說，「那就一起走吧。」

（全書完）

好友的婚禮將會發生什麼浪漫韻事？更多精采情節就在《愛的69種玩法II：抉擇》！

感謝

再次向超級英雄經紀人歐利・曼森、珍妮佛・卡斯特、愛蓮・費瑞及AM希斯文學經紀的團隊致上無盡謝意。我們對所有出版商永懷感激之情，尤其是蔓普莉特・葛雷沃和她在Sphere出版社的團隊（利托、布朗）、亞曼達・博吉隆和威廉・摩若（Harper Collins出版社）的團隊，以及傑若米・波蕊和他在Jonathan Ball出版社的同事。感謝在五大洲持續出版本系列的各位，尤其是譯者們，謝謝你們，由衷感恩。

深深感謝荷蘭通顧問懷爾・維侯恩，以及克里夫・霍爾在尼斯的艾日Fragonard香水博物館為我們所做的導覽。也謝謝安德烈與卡琳娜・布林克帶我們仔細參觀了威尼斯的丹尼爾利飯店，在Brink床上蹦跳可不是天天都有的機會。我們尤其感激卡琳娜，是她幫忙整理出了這個全世界最美麗城市裡的熱門求歡地點。

還要謝謝老朋友們（你們知道自己是誰）：沒有你們，我們真的無法完成這一切。非常感謝你們。

暢／小說

053

愛的69種玩法I
邂逅

原著書名：A Girl Walks into a Blind Date • 作者：海倫娜・佩姬 Helena S. Paige • 翻譯：朱立雅 • 美術設計：黃鳳君 • 協力編輯：林婉華 • 責任編輯：徐凡 • 主編：巫維珍 • 副總經理：陳瀅如 • 編輯總監：劉麗真 • 總經理：陳逸瑛 • 發行人：涂玉雲 • 出版社：麥田出版／城邦文化事業股份有限公司／104台北市中山區民生東路二段141號5樓／電話：(02) 25007696／傳真：(02) 25001966 • 發行：英屬蓋曼群島商家庭傳媒股份有限公司城邦分公司／台北市中山區民生東路二段141號11樓／書虫客戶服務專線：(02) 25007718；25007719／24小時傳真服務：(02) 25001990；25001991／讀者服務信箱：service@readingclub.com.tw／劃撥帳號：19863813／戶名：書虫股份有限公司 • 香港發行所：城邦（香港）出版集團有限公司／香港灣仔駱克道東超商業中心1樓／電話：(852) 25086231／傳真：(852) 25789337／E-mail：hkcite@biznetvigator.com • 馬新發行所／城邦(馬新)出版集團【Cite (M) Sdn Bhd／41, Jalan Radin Anum, Bandar Baru Sri Petaling, 57000 Kuala Lumpur, Malaysia.／電話：(603) 90578822／傳真：(603) 90576622 • 印刷：漾格科技股份有限公司 • 2015年（民104）2月初版 • 定價340元

國家圖書館出版品預行編目資料

愛的69種玩法I：邂逅／海倫娜・佩姬 Helena S. Paige著；朱立雅譯. -- 初版. -- 臺北市：麥田出版：家庭傳媒城邦分公司發行, 民104.02

面； 公分. --（Hit暢小說；RQ7053）

譯自：A Girl Walks into a Blind Date

ISBN 978-986-344-194-6（平裝）

873.57 103027716

城邦讀書花園

www.cite.com.tw